MALTE KRASTING

Mozart

Così fan tutte

Weitere Bände der Reihe **OPERNFÜHRER KOMPAKT:**
Daniel Brandenburg ▪ Verdi ▪ Rigoletto
Detlef Giese ▪ Verdi ▪ Aida
Michael Horst ▪ Puccini ▪ Tosca
Silke Leopold ▪ Verdi ▪ La Traviata
Robert Maschka ▪ Beethoven ▪ Fidelio
Robert Maschka ▪ Wagner ▪ Tristan und Isolde
Volker Mertens ▪ Wagner ▪ Der Ring des Nibelungen
Clemens Prokop ▪ Mozart ▪ Don Giovanni
Olaf Matthias Roth ▪ Puccini ▪ La Bohème

Malte Krasting wurde in Hamburg geboren und studierte Musikwissenschaft in seiner Heimatstadt und in Berlin. Er war als Dramaturg am Meininger Theater (1999–2002), an der Komischen Oper Berlin (2002–2006) und an der Oper Frankfurt (2006–2013) engagiert, seit 2013 ist er an der Bayerischen Staatsoper in München beschäftigt. Eine langjährige Zusammenarbeit verbindet ihn mit dem Dirigenten Kirill Petrenko. Darüber hinaus schreibt er über Musik für verschiedene Publikationen und Veranstalter und ist gelegentlich auch als Moderator tätig.

OPERNFÜHRER KOMPAKT

MALTE KRASTING

Mozart
Così fan tutte

Bärenreiter
HENSCHEL

Bibliografische Information der Deutschen Nationalbibliothek
Die Deutsche Nationalbibliothek verzeichnet diese Publikation in der Deutschen Nationalbibliografie; detaillierte bibliografische Daten sind im Internet über http://dnb.dnb.de abrufbar.

Gemeinschaftsausgabe der Verlage Bärenreiter, Kassel, und
Seemann Henschel GmbH & Co. KG, Leipzig
Umschlaggestaltung: Carmen Klaucke, Berlin, unter Verwendung eines Fotos von picture-alliance / AP Images / Kerstin Joensson (Sophie Koch als Dorabella und Ana María Martínez als Fiordiligi in der Inszenierung von Ursel und Karl-Ernst Herrmann, Salzburg 2006)
Lektorat: Claudia Thieße
Bildredaktion: Susanne Van Volxem, Frankfurt a. M., Claudia Thieße
Innengestaltung: Dorothea Willerding, Kassel
Satz: Das Herstellungsbüro, Hamburg
Notensatz: Tatjana Waßmann, Winnigstedt
Druck und Bindung: GGP Media GmbH, Pößneck
ISBN 978-3-89487-922-8 (Henschel) ▪ ISBN 978-3-7618-2296-8 (Bärenreiter)
www.henschel-verlag.de ▪ www.baerenreiter.com

Inhalt

»Così fan tutte« – ein existenzielles Experiment 7

»Hauptsächlich aber ist es mir wegen der Oper«. Leben und Lebensumstände 11

Vom Wunderkind zum Künstler 11 ▪ Von Salzburg nach Wien 12 ▪ Mozart und die Oper: nicht vom Himmel gefallen 14 ▪ Die Suche nach dem wahren Phönix 16 ▪ Libretti und Librettisten in Wien 18

Entstehung und Handlung eines heimlichen Hauptwerks 23

Vielsagendes Schweigen 23 ▪ Die Stoffquellen 25 ▪ Grenzen der Aufklärung 28 ▪ Von ersten Noten bis zur Uraufführung – und ein neuer Titel für die Oper 30 ▪ Auf die Bühne 35 ▪ Die Handlung 36 ▪ Figurenkonstellation 39

Das Werk im Überblick 40

Die Ouvertüre 40 ▪ Die Manipulation wird eröffnet 43 ▪ Ein Schock als Therapie-Auftakt 45 ▪ Beginn eines langen Abschieds 48 ▪ Klassenunterschiede und Identitätenwechsel 51 ▪ Ein Arientausch mit Folgen 56 ▪ Lufttholen und Turbulenzen 58 ▪ Noch mal von vorn 64 ▪ Vorbereitung zum Absturz 74 ▪ Schuld und Sühne 80 ▪ Auf der anderen Seite der Front 82 ▪ Kein Entrinnen 86

»Così fan tutte« auf der Bühne 93

Nach der Uraufführung 93 ▪ Licht und Schatten im 19. Jahrhundert 96 ▪ Interpretationen und Inszenierungen im 20. Jahrhundert 99 ▪ Linien der jüngeren Aufführungsgeschichte 104 ▪ Rettungsversuch mit Tradition 114

Die Oper im Zeitalter ihrer technischen Reproduzierbarkeit 118

»Così fan tutte« auf CD 118 ▪ Die Oper als Film 122

Widerhall in den anderen Künsten 124

Literarische Anverwandlungen 124 ▪ Vom Schauspiel zum Film 127 ▪ Bildende Kunst 128 ▪ Nachbeben und Bearbeitungen im Musiktheater 130

Anhang 132

Glossar 132 ▪ Zitierte und empfohlene Literatur 134 ▪ Bildnachweis 136

»Così fan tutte« – ein existenzielles Experiment

Es scheinen keine schlechten Zeiten für Mozarts komische Oper *Così fan tutte.* Dieses Stück, das fast hundert Jahre lang in der herrschenden Meinung als bestenfalls problematisch, für viele gar als ganz unrettbar galt, gehört offenbar zu den beliebtesten Bühnenwerken der Gegenwart: Eine Aufführungsstatistik (Operabase) listet *Così fan tutte* im ersten und zweiten Jahrzehnt unseres Jahrtausends auf Platz elf der meistgespielten Opern weltweit. Den drei populärsten Titeln *(La Traviata, La Bohème, Carmen)* folgt Mozarts *Zauberflöte, Le nozze di Figaro* steht auf Platz sechs und *Don Giovanni* als zehnte direkt vor *Così fan tutte.* Das war nicht immer so.

Schon der Titel ist für deutsche Augen unbequem zu lesen. So findet sich mit schöner Regelmäßigkeit immer wieder die Verwechslung der Verbform »fan« mit dem gleichlautenden Namensbestandteil, was die Oper dann in einen fast verwandtschaftlichen Zusammenhang mit Beethoven bringt: *Così »van« tutte.* Dass häufig statt »tutte« das vertrautere »tutti« geschrieben wird, ist ein heiklerer Fehler. *Così fan tutte,* das heißt: *So machen es alle* – aber die weibliche Endung schränkt ein: So machen es alle *Frauen.* Von den Männern ist einstweilen keine Rede, denn dazu müsste es eben »tutti« heißen. Die italienische Grammatik präzisiert die Bedeutung durch einen einzigen kleinen Buchstaben; ihr steht eine elegante Knappheit zu Gebote, die vielen – mindestens den nicht-romanischen – Sprachen unerreichbar ist. Das Deutsche braucht höchst ungalant ein ganzes Wort dafür und tritt damit der gesamten Weiblichkeit auf den Fuß. »So machen es alle« verfehlt den Kern der Aussage, »So machen es alle Frauen« verfällt in plumpe Direktheit. Insofern lässt sich der Titel eigentlich gar nicht adäquat ins Deutsche übersetzen.

Der Untertitel hingegen, *La scola degli amanti,* funktioniert nicht nur ohne Weiteres auf Deutsch *(Die Schule der Liebenden),* sondern ist auch geschlechtsneutral formuliert. Vor allem weist dieser Untertitel den Weg mitten in das Stück: Hier lernen *alle* Beteiligten. Die einen gehen wissentlich in die Lektion, die anderen ohne es zu ahnen, für alle aber sieht die Welt nach diesem »tollen Tag« radikal anders aus.

Così fan tutte war die dritte und letzte Gemeinschaftsarbeit von Lorenzo Da Ponte und Wolfgang Amadeus Mozart. Frivol, blasphemisch, konstruiert, unglaubwürdig fand man die Geschichte, legte der Komposition schließlich andere Handlungen unter, bis man auch die Musik als minderwertig abtat. In manchen der Vorwürfe steckte eine richtige Beobachtung; es wurden nur die falschen Schlüsse gezogen. Natürlich ist die Geschichte unwahrscheinlich. Sie ist eine Spielanordnung, um auf kleinstem Raum ein Thema behandeln zu können. Und natürlich ist die Oper »konstruiert«. Doch das Entscheidende passiert innerhalb der Grenzen dieses formalen Gerüsts. Man erlebt, wie sich das Gestänge verschiebt und verwindet und schließlich alles zusammenstürzt.

Così fan tutte zeigt, wie im Gewand eines Experiments vier junge Menschen an den Rand ihrer Existenz geführt werden: zwei junge Frauen und zwei junge Männer, die kaum oder keine Erfahrung mit der Liebe haben und trotzdem vermeinen, schon alles Glück in den Händen zu halten. Als handle es sich um die Umkehrung eines Metastasio-Librettos, in dem zwei Paare durch allerlei Hindernisse zueinanderfinden, präsentieren Da Ponte und Mozart hier zwei Liebesbeziehungen, in denen sich die Partner schon gebunden haben, und nehmen sie nach und nach auseinander.

Die Form des Werks: wie aus dem Opernlabor. Zwei symmetrisch angelegte Akte, insgesamt sechs gleichwertige Personen, jede singt pro Akt eine Arie, die Ensembles sind ausgewogen verteilt und die Treueprobe wird in zwei Durchgängen exekutiert. Die Figuren sind reduziert auf wenige, allgemeine Eigenschaften, die Schilderung der Situation aufs Nötigste begrenzt. Man könnte aus kleinen Indizien Vorgeschichten rekonstruieren, aus Anspielungen im Text und aus ein paar Requisiten auf Umstände schließen. Man kann andererseits auch annehmen, dass die Autoren viele Fragen bewusst offengelassen haben, weil sie keine entscheidende Rolle spielen.

Die Erfahrung, zu der Alfonso seine vier Versuchsobjekte zwingt, ist an sich ein wertvoller Schritt. Es ist aber nicht unerheblich, mit welcher Methode man mit Menschen umgeht. In *Così fan tutte* ver-

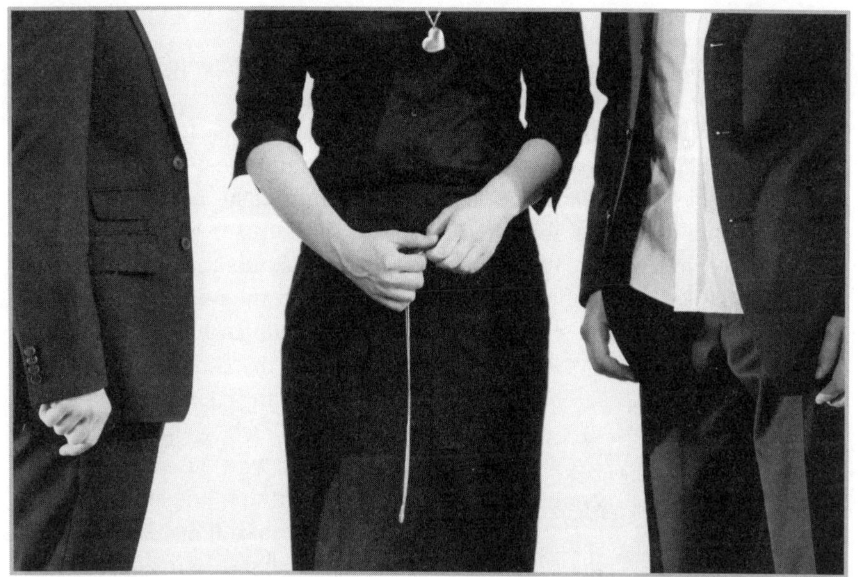

steckt sich unter dem Schleier der Treueprobe auch eine dialektische Auseinandersetzung mit der Aufklärung und ihren Methoden. Es wäre schlichtweg absurd anzunehmen, dass ein mehrfach politisch Verfolgter wie Da Ponte oder ein Weitgereister wie Mozart die detaillierten Presseberichte über die Pariser Ereignisse des Sommers 1789 nicht zur Kenntnis genommen hätten. Aufklärung, Bildung, Erleuchtung waren Ziele, denen sich Mozart widmete, nicht nur als Freimaurer, auch als Künstler. Jede gesellschaftliche Veränderung muss am Menschen ausgerichtet sein – und nicht nur an abstrakten Ideen. Doch das ist schwer umzusetzen, und es dauert lang. Alfonsos Unterrichtsstunde wiederum ist zwar erfolgreich, das Lernziel erreicht: Auf Treue ist kein Verlass. Die Rosskur des alten Philosophen befreit seine Schüler von ihrem Irrtum. Nur sind die Mittel, mit denen er diese Erkenntnis den jungen Leuten beibringt, zutiefst unmenschlich. Alfonso bedient sich der vier, als seien sie Marionetten, menschliche Maschinen, deren Gefühle quasi physikalischen Gesetzmäßigkeiten unterliegen. Aber durch Manipulation lässt sich keine tragfähige Grundlage für eine erfüllte Lebensführung erzielen.

Tausch dein Herz, als sei's ein Amulett. Probenfoto der Inszenierung von Christof Loy an der Oper Frankfurt.

Die jüngere Forschung hat mit einigen Missverständnissen aufgeräumt. Bei allem Misstrauen gegenüber dem Stück und der Unbehaglichkeit des Stoffes hat man lange nicht genau hingeschaut und wichtige Quellen übersehen, die erklären, warum es Momente der Handlung gibt, die sich logisch nicht deuten lassen. Inzwischen ist nachgewiesen worden: Die Entstehungsgeschichte ist viel komplizierter als bisher gedacht. Aus ihr lässt sich manches Rätsel zumindest benennen, auch wenn die Ungereimtheiten der Oper dadurch nicht aus der Welt sind. Wichtiger noch ist aber die Erkenntnis, dass unser Werkbegriff noch immer vom späten 19. Jahrhundert geprägt ist: als müsse es eine endgültige Fassung geben, die vom Komponisten intendiert und nötigenfalls aus den Quellen herauszulesen sei. Tatsächlich war der Umgang mit Werken im musikalischen Theater ein anderer. Mozart dürfte auch während der Aufführungsserien, von Abend zu Abend, seine Musik immer wieder den Gegebenheiten angepasst haben. Im Falle von *Così fan tutte* wissen wir von Strichen, die schon zur »Uraufführung« – ein Begriff, der mit seinem Pathos ebenfalls falsche Vorstellungen weckt – akzeptiert waren, in der Gesamtausgabe aber nicht berücksichtigt worden sind.

PERSONAGGI.

Fiordiligi) *e Dorabella*) Dame Ferrareſi e ſorelle abitanti in Napoli.

Guilelmo) *e Ferrando*) amanti delle medeſime.

Deſpina Cameriera.

D. Alfonſo vecchio Filoſofo.

Coro di Soldati.

Coro di Servi.

Coro di Marinaj.

La Scena ſi finge in Napoli.

La Poesia è dell' Abbate DA PONTE, Poeta del Teatro Imperiale.

La musica è del Signor WOLFGANGO MOZZART Maeſtro di Cappella in attual ſervigio di S. Maeſtà Ceſarea.

AT-

ATTO PRIMO.

SCENA PRIMA.

Bottega di Caffè.

Ferrando, Guilelmo, D. Alfonſo.

Fer. La mia Dorabella
Capace non è:
Fedel quanto bella
Il cielo la fè.
Gul. La mia Fiordiligi
Tradirmi non sà,
Uguale in lei credo
Coſtanza a beltà.
D. Al. Ho i crini già grigi
Ex cathedra parlo,
Ma tali litigi
Finiſcano quì.

A 2 *Fer.*

Doppelseite aus dem Libretto-Erstdruck: Personenverzeichnis (mit Schreibweise »Guilelmo«) und Beginn des 1. Aktes, Wien, Typografische Gesellschaft (Società tipografica) 1790.

Es ist auch an der Zeit, mit den Namen sorgfältiger umzugehen. Mozart hat sich selbst nie »Amadeus« genannt. Warum tut es dann buchstäblich alle Welt – und nicht nur im allgemein populären Sprachgebrauch, sondern auch die gesamte Wissenschaft? (Und wir, Asche über unser Haupt, einstweilen auch.) Damit nicht genug: Mozart und Da Ponte nannten ihren Bariton in *Così fan tutte* »Guilelmo«. Fast alle anderen nennen ihn »Guglielmo«. Die Neue Mozart-Ausgabe erklärt lakonisch, man habe den Namen der gebräuchlichen italienischen Version angeglichen. Aber was, wenn Da Ponte und Mozart das gar nicht wollten, mit voller Absicht die ungewöhnliche Schreibung wählten? »Guglielmos« gab es auch 1790 schon zuhauf. Einen »Guilelmo« aber gibt es nur in *Così fan tutte,* nirgendwo sonst, nicht vorher und nicht nachher. Erst in jüngster Zeit beginnt die Musik- und Theaterwissenschaft, den Autoren zu folgen. Das soll auch hier geschehen.

»Hauptsächlich aber ist es mir wegen der Oper«. Leben und Lebensumstände

Vom Wunderkind zum Künstler

Mozarts Wandlung vom großgewordenen Wunderkind zum großen Komponisten vollzog sich innerhalb der drei Jahre zwischen 1778 und 1781: An ihrem Beginn stand die erste Reise ohne den Vater, an ihrem Ende Mozarts Umzug von Salzburg nach Wien. Dazwischen arbeitete er mit den besten Musikern seiner Zeit zusammen, lernte die erste große Liebe seines Lebens kennen, musste den Tod seiner Mutter in Paris verkraften, komponierte seine bis dahin größte Opera seria und brach mit seinem Dienstherrn, dem Salzburger Erzbischof, um endlich seine künstlerische Freiheit zu gewinnen.

Auf der Reise, die Mozart gemeinsam mit seiner Mutter antrat, sollte er vor allem Kompositionsaufträge und bestenfalls eine Position als Kapellmeister an einem großen Fürstenhof erwerben, etwa in Mannheim, der ersten Station, oder in Paris, dem Ziel der Fahrt. Mannheim kannte Mozart bereits von einem früheren Besuch; sein Vater Leopold hatte seinerzeit konstatiert, das Orchester sei »ohne widerspruch das beste in Teutschland«. Der Austausch mit den dortigen Musikern war für Mozart höchst ergiebig, der kompositorische Ertrag einstweilen nicht. Richtiggehend verwirrt war Mozart aber aus einem anderen Grund. Er hatte sich verliebt, in eine junge Sängerin: Aloisia Weber, zweitälteste Tochter des Musikers, Sängers und Notenkopisten Fridolin Weber in Mannheim. Mozarts Hingerissenheit führte zum ersten heftigen Zerwürfnis mit seinem Vater. Es verschlug Leopold fast die Sprache, als Mozart ihm eröffnete, statt nach Paris mit der ganzen Familie Weber nach Italien reisen zu wollen, dort die junge, gerade 17-jährige und völlig unbekannte Aloisia als Primadonna groß herauszubringen und die unterwegs zu schreibenden Opern lukrativ an italienische Hoftheater zu verkaufen. Nachdem sein Vater ihm in der gebotenen Deutlichkeit geantwortet hatte (»Fort mit dir nach Paris!«) nahm Mozart alles kleinlaut zurück. Leopold wusste, dass jeder Mensch die Erfahrung machen muss, »am Narrenseil zu gehen«, aber er wusste auch, dass man sich dabei zu beherrschen lernen muss, wenn man sich nicht Enttäuschungen aussetzen will. Aloisia wies jedenfalls Mozarts Werbung um sie, die ein Jahr später in einem Heiratsantrag gipfelte, kühl ab. Das traf ihn tief.

Auch Paris erwies sich als zwiespältige Erfahrung. Als europäisches Zentrum der Musik, vor allem der Oper, hätte die Stadt Mozart ein ideales Terrain bieten können. Doch der dafür nötige Opernauftrag blieb aus, und auch die Hoffnung auf eine Festanstellung erfüllte sich nicht. Von dem einflussreichen Publizisten Melchior Grimm, der Mozart zunächst als Mentor beistand und ihn auch unterstützte, als Mozarts Mutter starb, wandte er sich nach einigen Wochen ab. Grimm hat Mozart mit der aktuellen musikästhetischen Diskussion vertraut gemacht und ihm manchen neuen Begriff vom Musiktheater gegeben. Doch wenn es darum ging, sich mit einflussreichen Kreisen anzufreunden, wollte Mozart nicht auf ihn hören. Unwillig, sich anzudienen, und zu stolz zum Antichambrieren, war er nicht länger bereit, väterlichen Rat anzunehmen, von wem auch immer. Ihm schien das ein Verhalten aus einem vergangenen Jahrhundert, eines selbstbewussten Künstlers unwürdig. Erst auf der Rückreise kam für Mozart die Wende. Über Mainz ging die Fahrt nach München, und dort erreichte ihn endlich der lang ersehnte Opernauftrag. Anhand von *Idomeneo* konnte Mozart seine musikdramatischen Überzeugungen präzisieren.

Von Salzburg nach Wien

Mozart blieb nach der Komposition von *Idomeneo* viel länger in München als nötig. Er blieb so lang, dass sein Arbeitgeber, der Salzburger Erzbischof Hieronymus von Colloredo, ihn mit einem Befehl zurück zum Dienst beordern musste. Repräsentative Verpflichtungen verlangten ihn in Wien. Von dort wollte Mozart dann gleich gar nicht mehr weg; die Aussicht, ins enge Salzburg zurückkehren zu müssen, grauste ihn. Die vermeintlichen Demütigungen (und die schlechte Bezahlung) durch den Erzbischof und seinen Sprecher, den Grafen Arco, übertrieb er in den Briefen an seinen Vater, seine Chancen in Wien dagegen schilderte Mozart in den blühendsten Farben. Der Streit zwischen dem jungen Komponisten und dem eigentlich zur Vermittlung beauftragten Grafen Arco schaukelte sich derart auf, dass die Sache mit dem berühmten Fußtritt endete: Mozart wurde hinausgeworfen.

Einen bestimmten anderen Grund, warum er unbedingt in Wien bleiben wollte, hat er seinem Vater zu der Zeit verschwiegen. Mozart hatte die Familie Weber wiedergetroffen, die Aloisia – die inzwischen mit dem Schauspieler Joseph Lange verheiratet und als Ensemblemitglied des Hoftheaters zur Hauptverdienerin herangewachsen war – von Mannheim über München nach Wien gefolgt war. Nachdem Erzbischof Colloredo ihn Ende April aus dem Wiener Logis geworfen hatte, kam Mozart zunächst bei Webers unter. Vielleicht war er anfangs immer noch verliebt in Aloisia, aber seine Zuneigung übertrug sich bald auf Aloisias jüngere Schwester Constanze.

Constanze Mozart, geb. Weber. Ölbild von ihrem Schwager Joseph Lange, dem Mann ihrer Schwester Aloisia, Mozarts erster großer Liebe, 1782.

Gerüchte über Mozarts Verhältnis zu den Weber-Töchtern drangen bis nach Salzburg zu Mozarts Vater. So musste der junge Komponist dann doch reinen Tisch machen. Im Gegensatz zu früheren Amouren gab er sich nun ernsthaft – und erklärte Constanze zu seiner Braut. Als Ehemann hatte er ganz solide Vorstellungen vom Zusammenleben von Mann und Frau. Jean-Baptiste-Antoine Suard berichtet in seinen (ein reichliches Jahrzehnt nach Mozarts Tod erschienenen) *Anecdotes sur Mozart*: »Mozart liebte seine Frau zärtlich, obwohl er sie manchmal betrog. Er wurde von seinen Phantasien derart beherrscht, dass er ihnen nicht immer widerstehen konnte.« Ob das wirklich stimmt, bleibt ungewiss; Constanze war jedenfalls auch später oft eifersüchtig und muss ihm bei mancher Gelegenheit eine Szene gemacht haben.

Trotz einer immens hohen Produktivität in der Instrumentalmusik behielt Mozart in der frühen 1780er Jahren den dramatischen Bereich im Auge. »Hauptsächlich aber ist es mir wegen der Oper«, hatte er gesagt, als er in eine ungewisse Zukunft nach Wien ging. Dafür nahm er in Kauf, sich als freischaffender Künstler auf dem Markt behaupten zu müssen – ein früher, unfreiwilliger Versuch in selbstständigem Unternehmertum, mit dem Zwang zu ständiger Aktivität. Er war nun nicht mehr Bediensteter von Adel und Klerus, aber als Anbieter seiner Leistungen auf dieselben Auftraggeber angewiesen; eine Scheinselbstständigkeit, deren Nachteile ihm sehr wohl bewusst waren. Er bemühte sich, eine Anstellung am kaiserlichen Hof zu finden, und hatte ständig mit unkünstlerischen Hindernissen, untalentierten Konkurrenten, inkompetenten Beamten und nicht zuletzt theaterreifen Intrigen zu kämpfen.

Aber die Vorteile überwogen bei Weitem. Mozart war umgeben von Musik und Musikern. Er brauchte diese Atmosphäre, den Austausch, die Anregungen. Denn selbst ein Mozart kam nicht aus dem Nichts, auch ein Mozart sammelte Erfahrungen und wuchs daran. Er ging mit offenen Augen und Ohren durch die Welt, was ihm gefiel, verwandelte er sich an und machte es sich zu eigen. Alle relevanten Komponisten in Wien taten das. So gibt es einige verblüffende Ähnlichkeiten, die von Anlehnung bis hin zum Zitat reichen, in allen Richtungen. Haydns Streichquartette zeigten Mozart, wozu diese Gattung fähig war; das Verhältnis zwischen diesen beiden Komponisten war von größter Hochachtung geprägt. Aber auch bei der Musik des Hofkapellmeisters Antonio Salieri (1750–1825) hörte Mozart genau hin, ebenso wie der immens populäre Vicente Martín y Soler (1754–1806) in seiner Oper *Una cosa rara* Mozart anklingen lässt und von diesem wiederum in *Don Giovanni* wörtlich zitiert wird. Auch in *Così fan tutte* haben diese gegenseitigen Referenzen Spuren hinterlassen.

Mozart und die Oper: nicht vom Himmel gefallen

Mozart begann schon als Kind, sich musikdramatische Fertigkeiten anzueignen, und tatsächlich sind schon in diesen allerersten kompositorischen Gehversuchen für die Bühne Hinweise zu spüren, dass er von Anfang an auf theatralische Wirksamkeit ausging. Natürlich, der Vater stand zunächst als Berater immer bereit, und man kann bei den Werken aus der Kinderzeit (*Apollo et Hyacinthus* 1767 und *Bastien et*

Bastienne 1768) nicht sagen, wer federführend war, aber sie weisen doch auf bezeichnende Weise voraus. In *Mitridate, re di Ponto* (1770) deuten weggelassene Rezitativpassagen, die zwar im gedruckten Libretto, nicht aber in der Partitur auftauchen, auf Kürzungen durch den 16-jährigen Mozart hin. Bei *Ascanio in Alba* (1771) zeigt sich, dass Mozart sich dafür zu interessieren beginnt, mit einem Gegensatz zwischen Worten und Tönen zu spielen: Die Musik sagt mehr oder sogar anderes aus als der Gesangstext. Dass die Musik die Aussagen von Theaterfiguren konterkarieren kann, hat Mozart also auch schon als Heranwachsender erkannt und erprobt. In *Il re pastore* (1775) nach einem Metastasio-Text greift Mozart hin und wieder auch auf das Original zurück und verlangt außerdem neue Verse für ein – weder da noch dort vorgesehenes – größeres Accompagnato-Rezitativ, womit er die Charaktere bereichert.

Bei der Arbeit an *Idomeneo* (1780/1781) haben sich Mozarts Grundsätze dann in aller Deutlichkeit manifestiert. Der Stoff war vom Münchner Hof vorgegeben, den Librettisten, mit dem er sie umarbeiten wollte, Giambattista Varesco, wählte Mozart selbst aus. Über die minutiöse Detailarbeit sind wir bestens unterrichtet, weil Mozart fast jeden Schritt brieflich mit seinem Vater besprach. Ein Grundsatz für Mozart war »rapidité«, um einen Begriff zu gebrauchen, den Mozart von Melchior Grimm in Paris gelernt haben dürfte. Rapidité heißt nicht nur Schnelligkeit, es heißt vor allem Schlagkraft, Prägnanz. Alles kommt auf die dramatische Wirkung an. Beispielhaft dafür ist der Umgang mit jener unheimlichen Stimme (»La voce«), die als Deus ex Machina die Verwicklungen auflöst. Die »unterirdische Stimme«, schrieb er seinem Vater (am 29. November 1780), »muss schreckbar seyn – sie muss eindringen – man muss glauben, es sey wirklich so – wie kann sie das bewirken, wenn die Rede zu lang ist, durch welche Länge die Zuhörer immer mehr von dessen Nichtigkeit überzeugt werden?«

Schon längere Zeit hatte Mozart Teile einer deutschen Oper im Koffer, die ihm die Türen des von Kaiser Joseph II. gegründeten deutschen Nationalsingspiels öffnen sollte: *Zaide*. In ihr ersetzte Mozart das dem Singspiel entstammende Strophenlied durch elaborierte Formen der italienischen Opera buffa, und zwar schon im Text, der bereits nach seinen musikalischen Vorstellungen entworfen worden sein muss. Bei der *Entführung aus dem Serail* (1781/1782) verlangte Mozart von seinem Textdichter Johann Gottlieb Stephanie d.J. zahlreiche Änderungen, ließ die Dialoge kürzen und vergrößerte den Musikanteil des Stücks – damit verlegte er die Handlung mehr in die musikalischen

Passagen, bevorzugte Ensembles gegenüber Einzelarien und verband mehrere Nummern zu Szenenkomplexen. »Rapidité« blieb auch hier das Leitbild – wobei es weniger auf Kürze ankam, sondern mehr auf Dichte und Präzision der Handlung. Mozart wollte eine ganz neue »Intrige« eingeführt haben, durch die Konstanzes und Blondes Rettung erschwert wird, eine Komplikation – er wollte also ein längeres Stück, das aber umso mehr zu bieten hatte. Den Schluss des 2. Aktes gestaltete er schließlich rein musikalisch zum Höhepunkt des *inneren* Konflikts: Was im Text nur angedeutet ist, komponiert Mozart zu einer tiefgreifenden Entfremdung der vier »Europäer« – eine psychologische Entwicklung, die gänzlich in der Musik entfaltet wird. Das Drama ereignet sich im eigentlichen Sinne erst in der Musik.

Hatte sich Mozart anfangs vor allem bewährte Muster angeeignet und durch ihre Kombination neue Wirkungen erzielt, wurde er seit den späten 1770er Jahren mehr und mehr zum experimentellen Innovator, der jeden Aspekt des Werkes mitgestaltete.

Die Suche nach dem wahren Phönix

Fünf Jahre liegen zwischen der *Entführung aus dem Serail* und *Le nozze di Figaro*, und alle dramatischen Versuche der Zwischenzeit blieben im Entwurfsstadium stecken. Kein Libretto war Mozart gut genug, dem bereits eine genaue Personenkonstellation für eine komische Oper vorschwebte: »Das nothwendigste dabey aber ist. recht *Comisch* im ganzen. – und wenn es dan möglich wäre 2 *gleich gute frauenzimmer Rollen* hinein zu bringen. – Die eine müßte *seria*, die andere aber *Mezzo Carattere* seyn, aber *an güte* müßten beyde Rollen ganz gleich seyn. – Das dritte frauenzimmer kann aber ganz *Buffa* seyn, wie auch alle Männer wenn es nötig ist.« (Brief an den Vater vom 7. Mai 1783) Damit hatte er schon die Besetzung von *Così fan tutte* vorweggenommen. Aber er hatte noch nicht den Librettisten dafür gefunden.

Das war tatsächlich nicht einfach. Denn die Oper, das Opernhandwerk, die Verbindung von Wort und Musik auf der Bühne, das war ein Komplex, der sich gerade im Umbruch befand. Man begann, die Rollen von Musik und Sprache anders zu bewerten. Als »Werk« hatte bis dato der Text gegolten: Das Opernlibretto erschien gedruckt, die Noten nicht. Der Text wurde vielfach mehrmals vertont, während die Musik allerorts den Sängern neu in die Kehle komponiert wurde. So war es noch eine Generation vor Mozart Usus gewesen. Pietro Metastasio (1698–1782) hatte verlangt, dass sich die Musik, die »flüchtige Sklavin«, »bald wieder jener Regulatorin unterwerfen [sollte], die sie so schön zu machen versteht«. Das mag die Bedeutung der Musik geschmälert haben, aber es war ein praktikables Vorgehen und bot eine gewisse Sicherheit der Routine. In scheinbarem Gegensatz zu Metastasios Einschätzung schrieb Mozart, mitten in der Arbeit an der *Entführung aus dem Serail,* an seinen Vater (13. Oktober 1781): »bey einer opera muß schlechterdings die Poesie der Musick gehorsame Tochter seyn. – warum gefallen denn die Welschen kommischen opern überall? – mit all dem Elend was das buch anbelangt! (…) weil da ganz die Musick herscht – und man darüber alles vergisst. – (…) da ist es am besten wenn ein guter komponist der das Theater versteht und selbst etwas anzugeben im stande ist, und ein gescheider Poet, als ein wahrer Phönix, zusammen kommen.« Es geht Mozart nicht um die »Vorherrschaft« der Musik über den Text, sondern darum, dass eine Oper einen Text erfordert, der auf theatralische und musikalische Belange zugeschnitten ist, der sich nicht in selbstbezüglichen Reimereien gefällt, sondern den »Wert einer theatralischen Vorstellung« erhöht.

Ähnliche Ansichten vertrat Da Ponte. In Da Ponte und Mozart trafen zwei begnadete Improvisatoren zusammen, zwei kosmopolitische Künstler, gleichermaßen von höchster Intelligenz und schneller Auffassung, Menschen mit wachem politischem Geist.

Die literarische Karriere war Lorenzo Da Ponte keineswegs in die Wiege gelegt. Geboren wurde er 1749 unter dem Namen Emanuele Conegliano im jüdischen Ghetto von Ceneda (heute Vittorio Veneto). Die Mutter starb, als Da Ponte gerade fünf war. Zehn Jahre später, 1763, heiratete der Vater neu. Vorher konvertierte er, und mit ihm die ganze Familie. Das war nicht alltäglich. Zur Taufe gehörte ein Namenswechsel: Den neuen Namen erhielt Emanuele von seinem Taufpaten, dem Bischof von Ceneda Lorenzo da Ponte (zur Unterscheidung schrieb sich der Täufling mit großem »Da«). Da Ponte war schon als Junge in Venedig ein geübter Stegreifdichter; nach vielversprechendem Beginn am Priesterseminar, wo er sich gründliche Kenntnis der antiken und italienischen Klassiker wie Horaz, Vergil, Cicero, Petrarca, Dante, Ariost, Tasso erwarb, brachten ihn sein scharfer Verstand, seine spitze Zunge und seine aufmüpfige Natur bald in Konflikt mit den Oberen. Als auch noch sein Erfolg bei den Frauen hinzukam, war Da Pontes kirchliche Laufbahn beendet. Er schlug sich als Rhetorik- und Literaturdozent durch, mit seiner Canzone *Se in coro di donna si dia spirito virile* landete er einen Erfolg, sprach dann wieder zu laut über rousseausche Ideen, wurde denunziert und floh vor verschiedenen Verbannungen. Da weckte ein Brief in ihm eine neue Hoffnung: das Theater – mit dem Da Ponte bislang kaum Kontakt gehabt hatte. Die Entscheidung, nach Wien zu gehen, war für Da Ponte genau wie für Mozart der entscheidende Schritt seines Lebens: Hier wurde er Hoftheaterdichter. Nach Josephs II. missglücktem Experiment mit einem deutschen Nationaltheater war Italienisch schließlich wieder die *Lingua franca* der Opernbühne. Da Ponte war außerdem überzeugt, dass Italienisch die am besten geeignete Sprache fürs Musiktheater sei, denn sie verfüge über die nötige Leichtigkeit, »gute Verse in jedem Versmaß und über jeden Gegenstand« singen zu lassen. Außerdem habe die italienische Sprache die Möglichkeit, »durch ihre Grazie, Melodie und ihren Überfluss an Mitteln (…) *ex abrupto* all das zu sagen, was Dichter in anderen Sprachen nach langem Studium und Nachdenken nur sehr mühsam zu schreiben vermögen.« Mit »ex abrupto« traf Da Ponte ins Schwarze. Das war genau das, was Mozart in einem Operntext schätzte.

Lorenzo Da Ponte. Stich von Michele Pekenino nach Nathaniel Rogers.

Obwohl sich Mozart und Da Ponte recht bald kennenlernten, kam es noch lange nicht zu einer Zusammenarbeit. Da Ponte war bereits schwer beschäftigt, die angesehensten Komponisten Wiens vertonten seine Texte, Antonio Salieri und Vicente Martín y Soler, später auch Joseph Weigl und Peter von Winter. Insgesamt verfasste Da Ponte in Wien 16 Operntexte und veränderte damit das Gesicht der italienischen Oper.

Libretti und Librettisten in Wien

Opernschreiben war bis in die zweite Hälfte des 18. Jahrhunderts ein streng geregeltes Handwerk gewesen. So strikt wie komische (Opera buffa) und tragische Oper (Opera seria) getrennt waren, wurden Rezitativ und Arie unterschieden. Im Rezitativ wird schnell und sprachähnlich gesungen und dabei die Handlung vorangetrieben, in der Arie die Situation von einer einzelnen Person reflektiert. Doch nun, im letzten Viertel des 18. Jahrhunderts, hatten viele dieser Regeln, wie sie die »alte« Opera seria kannte, ihre ausschließliche Geltung verloren. Einflüsse aus anderen Musiktheaterformen machten sich bemerkbar. Die Gattung entwickelte sich im Sinne einer Synthese aus italienischer und französischer Oper. Die auf nur leicht variierter Wiederholung des A-Teils basierende Dacapo-Arie wich Formen, mit denen sich eine innere Entwicklung der Figuren darstellen ließ. Die extreme zeitliche Diskontinuität in der Oper – in der Arie stand die Handlung praktisch still, in den Rezitativen wurde sie ihm Schnelldurchlauf vorangetrieben – wich zunehmend einem gleichmäßigeren Fluss des Geschehens. Die Arien blieben zwar »Haltepunkte« zur Reflexion, aber der Unterschied zwischen dargestellter Zeit (die Vorgänge der Handlung) und Zeit der Darstellung (die Dauer der Arie) wurde spürbar kleiner.

Lorenzo Da Ponte nahm zudem eine noch recht junge Neuerung auf, die vom Wiener Hofdichter Giambattista Casti ausgegangen war: Er gab die strikte Trennung von komischen, ernsten und Mischrollen auf. Die Vermischung von Wesenszügen, die charakterlichen Veränderungen einer Figur innerhalb einer Opernhandlung waren Momente, die Mozart besonders gereizt haben. Tatsächlich lässt sich beobachten, dass Da Ponte in seinen Libretti für Mozart mehr Neues ausprobierte, die formalen Grenzen stärker erweiterte als bei seinen Texten für andere Komponisten. Dort behielt er oft noch einen deutlicheren Unterschied zwischen Rezitativen und statischen, sentenzhaften Arien bei. Anderswo schrieb er auch weniger Ensembles in die Handlung, bei den Mozart-Libretti war es gerade andersherum. Hier war der Anteil von Duetten, Terzetten, Quartetten etc. außergewöhnlich hoch und stieg immer weiter an: In *Le nozze di Figaro* waren von 28 einzelnen Nummern nur 14 Soloarien, bei *Così fan tutte* ist das Verhältnis noch drastischer, da sind es nur noch 11 Soloarien bei 31 Musiknummern. Dass Da Ponte für Mozart Libretto-Avantgardist war, für Soler hingegen eher gutbürgerliche Küche zubereitete, ist gewiss kein Zufall. Und bei *Così fan tutte* gibt es belastbare Indizien für die Annahme, dass Mozart den Text stärker beeinflusst hat, als bisher weithin angenommen wurde.

Jahr	Historische Daten	Biografische und werkspezifische Daten
1749	Johann Wolfgang Goethe geboren	10. März: Lorenzo Da Ponte als Emanuele Conegliano in Ceneda (heute Vittorio Veneto) geboren
1756	Leopold Mozart veröffentlicht seine Violinschule; Ausbruch des Siebenjährigen Krieges zwischen Preußen und Österreich	27. Januar: Mozart in Salzburg geboren
1763		29. August: Da Ponte wird getauft und nimmt den Namen seines Taufpaten an; 1. November: Da Ponte tritt in das Priesterseminar von Ceneda ein
1765	Joseph II. wird deutscher Kaiser	Da Ponte erhält die niederen Weihen
1770	Ludwig van Beethoven geboren	
1773		Da Ponte zum Priester geweiht
1774		Da Ponte wird Dozent für klassische Literatur in Treviso und engagiert sich für aufklärerische Reformen
1776	Unabhängigkeitserklärung der Vereinigten Staaten von Amerika	
1777		23. September: Beginn der Reise nach Mannheim und Paris; Winter: Begegnung mit Aloisia Weber in Mannheim
1778		3. Juli: Tod der Mutter in Paris; Dezember (?): Mozarts Heiratsantrag wird von Aloisia Weber abgewiesen
1779		Aus Venedig verbannt, versucht Da Ponte, ans Theater zu kommen
1780	Joseph II. wird zusätzlich König von Ungarn und Böhmen	Beginn der Komposition von *Idomeneo* (Uraufführung München 1781)
1781		Mozart wird vom Salzburger Erzbischof entlassen und zieht nach Wien
1782	Choderlos de Laclos' *Gefährliche Liebschaften* erscheinen	Da Ponte trifft in Wien ein, Salieri macht ihn mit dem berühmten Librettisten Pietro Metastasio bekannt; Mozart lernt bei Gottfried van Swieten Musik von Bach und Händel kennen; 16. Juli: Uraufführung *Die Entführung aus dem Serail*; 4. August: Heirat mit Konstanze
1783		Anfang des Jahres lernen sich Da Ponte und Mozart bei Baron Wetzlar von Plankenstern kennen; 1. März: Da Ponte wird Hoftheaterdichter in Wien

Jahr	Historische Daten	Biografische und werkspezifische Daten
1784		Mozart wird Freimaurer
1786		1. Mai: *Le nozze di Figaro* in Wien uraufgeführt; ab Dezember: großer Erfolg von *Le nozze di Figaro* in Prag
1787	28. Mai: Leopold Mozart stirbt in Salzburg; Krieg zwischen Russland und der Türkei	29. Oktober: *Don Giovanni* in Prag uraufgeführt
1788	Österreich wird durch Bündnisverpflichtung in die »Türkenkriege« verwickelt; Knigge veröffentlicht *Über den Umgang mit Menschen*	8. Januar: *Axur* (Salieri / Da Ponte), die italienische Fassung von *Tarare* (Salieri / Beaumarchais), in Wien uraufgeführt
1789	Mit dem Sturm auf die Bastille am 14. Juli findet die Französische Revolution ihren ersten Höhepunkt	Februar: Aufführungen von Da Pontes Pasticcio *L'ape musicale*; spätestens jetzt bricht Salieri die begonnene Vertonung des Librettos zu *Così fan tutte* (noch unter dem Titel *La scola degli amanti*) ab; Frühling: Mozarts Reise nach Berlin (über Prag, Dresden und Leipzig); 29. August: erste Wiederaufnahme von *Le nozze di Figaro* in Wien; möglicherweise wegen dieses großen Erfolges wird im Herbst den Autoren ein neuer Opernauftrag erteilt; Dezember: Eintrag der *Rivolgete*-Arie ins Werkverzeichnis; 31. Dezember: Mozart lädt Haydn und Puchberg zu einer Probe ein
1790	20. Februar: Kaiser Joseph II. stirbt, wodurch Mozart und Da Ponte ihren wichtigsten Förderer verlieren; sein Nachfolger Leopold II. macht viele Reformen rückgängig und kürzt die Mittel fürs Theater	21. Januar: erste Orchesterprobe zu *Così fan tutte*; 26. Januar: *Così fan tutte* in Wien uraufgeführt; die erste Aufführungsserie wird nach fünf Vorstellungen durch die Trauerzeit für den Kaiser unterbrochen und am 6. Juni mit weiteren fünf Vorstellungen wiederaufgenommen; in Wien keine weiteren Aufführungen zu Mozarts Lebzeiten
1791		Im Laufe des Jahres Erstaufführungen in Prag (auf Italienisch) und (in deutscher Übersetzung) in Frankfurt a. M. (1. Mai, deutschsprachige Erstaufführung unter dem Titel *Liebe und Versuchung*), Dresden und Leipzig

Jahr	Historische Daten	Biografische und werkspezifische Daten
1791		6. September: Uraufführung von *La clemenza di Tito* in Prag; 30. September: Uraufführung von *Die Zauberflöte* am Wiener Theater auf der Wieden; 20. November: Mozart erkrankt; 5. Dezember: Mozart gestorben; Da Ponte fällt bei Kaiser Leopold II. in Ungnade und wird als Hoftheaterdichter entlassen; im Juni verlässt er Wien
1792ff.		Da Ponte heiratet in Triest Nancy Grahl, lebt einige Jahre in London und entfaltet dort eine reiche musikdramatische Wirkung, u. a. von 1793 an als Theaterdichter am King's Theatre
1794		14. August: Erste Wiederaufnahme von *Così fan tutte* in Wien (in deutscher Sprache)
1797		Erstaufführung in Weimar in einer Übersetzung von Goethes Schwager Christian Vulpius
1805		Da Ponte übersiedelt auf der Flucht vor Gläubigern nach Nordamerika
1807		Erstaufführung in Mailand
1809	Goethe (der *Così fan tutte* in Weimar gesehen hatte) veröffentlicht seine *Wahlverwandtschaften*	
1825		Ludwig van Beethoven distanziert sich vom Stoff der Oper
1838		17. August: Da Ponte stirbt in New York
1852		Richard Wagner publiziert seine vernichtende Kritik an *Così fan tutte*
1897		25. Juni: Richard Strauss dirigiert erstmals die weitgehend originalgetreue Neuübersetzung von Hermann Levi und leitet eine Rehabilitierung des Werkes ein

Entstehung und Handlung eines heimlichen Hauptwerks

Vielsagendes Schweigen

Über die Entstehungsgeschichte von *Così fan tutte* ist erstaunlich, um nicht zu sagen: verdächtig wenig bekannt. So erwähnt Mozart die Oper nur ganze drei Mal in seinen Briefen, dazu kommen zwei Eintragungen im eigenhändigen Werkverzeichnis, die der noch vor der Uraufführung wieder aussortierten Arie *Rivolgete a lui lo sguardo* und die der Oper selbst. Natürlich – Mozart und Da Ponte lebten in derselben Stadt, eine ausführliche Korrespondenz war nicht erforderlich; aber auch Da Ponte streift die Oper nur in seinen Memoiren. Die Knappheit, mit der sich Mozart und Da Ponte äußern, muss verwundern. Der Mangel an Informationen hat den Gerüchten Tür und Tor geöffnet. Doch all die Spekulationen darüber, wie und warum Mozart diesen Text habe vertonen können, sagen mehr aus über die Zeit, in der sie aufkamen, als über Mozart und sein Werk.

Dass man hingegen einen Hinweis, den Constanze Mozart fast vier Jahrzehnte später zu Protokoll brachte, lange übersehen und wenn überhaupt verfälschend interpretiert hat, ist wiederum bezeichnend. Denn dieser Hinweis besagt kurz und bündig: Da Ponte hat dieses Libretto gar nicht für Mozart geschrieben, sondern für – Antonio Salieri. Ausgerechnet! Nicht für irgendeinen Kollegen war der Text gedacht, sondern für jenen Komponisten, der in vielen Anekdoten als Gegenspieler, ja Feind geschildert wird, als unbegabter Stückeschmied und missgünstiger Konkurrent, dem man sogar Mozarts Tod angelastet hat.

Das englische Musikerpaar Vincent und Mary Novello hatte 1829 mit der Absicht, ein Buch über den Komponisten zu schreiben, mit seinen Weggefährten Gespräche geführt. Dabei offenbarte Constanze, befragt nach dem Grund für die Animosität zwischen Mozart und Salieri, dass der Text zu *Così fan tutte* ursprünglich für Salieri entworfen und von diesem auch begonnen worden sei: »Salieris Feindseligkeit erwuchs aus dem Umstand, dass Mozart *Così fan tutte* vertonte, was er ursprünglich begonnen und dann aufgegeben hatte als unwerte musikalische Erfindung.« Genau so steht es in den handschriftlichen Notizen von Mary Novello: »given up as unworthy musical invention« – als wäre Salieri mit seiner Vertonung unzufrieden gewesen. Die Herausgeber fügten ein unscheinbares Wörtchen hinzu: »given up as unworthy *of* musical invention« – »aufgegeben als unwert *der* musikalischen Erfindung«. Aus der selbstkritischen Einschätzung Salieris machte man eine Herabwürdigung von Da Pontes Libretto. – Lange ging man über den Hinweis hinweg. Erst 1996 wurde anhand von Skizzen nachgewiesen, dass Constanzes Schilderung nicht nur stimmt, sondern dass Salieri tatsächlich begonnen hatte, den (teils von Mozarts Fassung abweichenden) Text zu vertonen.

Antonio Salieri. Stich von Johann Gottfried Scheffner.

Salieris größter Erfolg zu Lebzeiten war die Opéra *Tarare* nach einem Libretto von Beaumarchais, die nach der Pariser Uraufführung 1787 auch in Wien gespielt werden sollte. Für die Übertragung dieser französischen Oper ins Italienische zog Salieri Da Ponte hinzu, und gemeinsam erarbeiteten sie eine komplette Neufassung unter dem Titel *Axur, re d'Ormus.* Nach der Erstaufführung im Januar 1788 lag es nahe, dass Salieri und Da Ponte ihre Zusammenarbeit fortsetzen würden. Sie taten es mit dem »Dramma tragicomico« *Il pastor fido,* und sie wollten es offenbar auch mit dem ganz neuen Projekt *Così fan tutte* tun. Wann Salieri die Arbeit daran wieder aufgegeben hat, lässt sich mit einiger Wahrscheinlichkeit sagen, denn die Freundschaft zwischen Da Ponte und Salieri zerbrach im Frühjahr 1789 am Pasticcio *L'ape musicale.* Dieses Stück hatte Da Ponte in Eigenregie eingerichtet und dabei Salieris Protégée, die Sopranistin Caterina Cavalieri, übergangen – was zugleich einen Affront und große finanzielle Verluste für Salieri und seinen Schützling bedeutete. Da Ponte resümiert in seinen Erinnerungen: »Seine zu heftige Zuneigung zu der Cavalieri (…), einer Sängerin, die so viele Verdienste hatte, dass sie nicht nötig gehabt hätte, sich der Ränke zu bedienen, um sich zu erheben, und die meinige nicht minder große für die Ferrarese (…) waren die beklagenswerte Veranlassung, ein Freundschaftsband zu zerreißen, das für die ganze Lebensdauer gemacht zu sein schien.« Dass Salieri die Komposition abgebrochen hat, ist wahrscheinlich auf dieses Zerwürfnis zurückzuführen. Salieri und Da Ponte kooperierten danach nur noch bei der Adaption von *La cifra,* einer älteren Oper Salieris; Da Ponte nennt von diesem Zeitpunkt an Salieri einen Intriganten, der ihm geschadet habe, und auch Mozart bezichtigt seinen Kollegen der Kabalen.

Die Stoffquellen

Così fan tutte ist die einzige der drei Koproduktionen von Mozart und seinem literarischen »Phönix« Da Ponte, die nicht auf einer präzise zu benennenden literarischen Vorlage basiert. *Le nozze di Figaro* war eine Übertragung von Beaumarchais' Schauspiel *La folle journée ou le Mariage de Figaro, Don Giovanni* geht auf die weitverzweigte Familie der Don-Juan-Geschichten zurück. Auch in seinen Arbeiten für andere Komponisten hat Da Ponte fast immer auf bereits existierende Stoffe zurückgegriffen. Aber *Così fan tutte*? Kein Roman trägt den Titel, keine Novelle erzählt die Geschichte, kein Theaterstück nimmt die Handlung vorweg. Es wäre auch kaum denkbar: *Così fan tutte* ist ein genuines Opernlibretto, das für eine Vertonung entworfen wurde und nur in Verbindung mit der Musik seine Wirkung entfaltet.

Auch wenn wir von keiner Vorlage wissen, hat Da Ponte doch aus einer Fülle von literarischen Motiven geschöpft. Er hat seinen Bildungsschatz genutzt und auf die größten Namen von der Antike über das Mittelalter und die Renaissance bis zur damaligen Gegenwart zurückgegriffen: Ovid, Boccaccio, Ariost, Cervantes, Shakespeare und Marivaux. Es sind so viele Einflüsse, dass sich die Wissenschaftler streiten, welche davon die wichtigsten seien. Zwei Motive lassen sich dabei, auch wenn sie eng verwandt sind, unterscheiden: Ein Mann prüft in Verkleidung die Treue seiner eigenen Frau, an der ihm Zweifel gekommen sind (das Treueprobe-Motiv); als Folge einer Wette um die Treue einer Frau versucht ein Dritter mit Wissen des Ehemanns, dessen Gemahlin zu verführen (das Wetten-Motiv). In den Stoffquellen zur Treueprobe findet sich als wiederkehrender Handlungsbaustein die vorgetäuschte Abreise eines eifersüchtigen Ehemanns und seine maskierte Rückkehr; aus den Stoffquellen zur Wette leitet sich der Experimentcharakter der Handlung her und der Verführungsversuch durch einen anderen Mann.

Die Geschichte des Paares Cephalus und Procris, die Ovid in seinem Versepos *Metamorphosen* erzählt – Cephalus' aus Eifersucht durchgeführte Treueprobe, bei der er in veränderter Gestalt seine eigene Frau verführt, endet schließlich für Procris mit dem Tod und für Cephalus in lebenslanger Reue – griff Ludovico Ariosto in seinem Hauptwerk *Orlando furioso* (*Der rasende Roland*, 1516) wieder auf. Zwei Aspekte sind neu: Der Mann wird nicht in eine unbekannte Gestalt verwandelt, sondern in einen früheren Verehrer seiner Frau. Auch sie gibt schließlich gegen kostbare Juwelengeschenke ihren Widerstand auf. Aber nach der Aufdeckung verharrt sie nicht lange in der Demütigung, sondern verlässt voller Zorn über das üble Spiel ihren Mann und flüchtet sich in die Arme desjenigen, mit dessen äußerer Hülle ihr Gatte sie der Untreue überführt hatte. Für alle drei Frauen in *Così fan tutte* hat Da Ponte die Namen aus Episoden von *Orlando furioso* entlehnt. Nicht nur begegnet uns dort eine Fiordiligi – sie ist die Gattin des Helden Brandimarte und stirbt als »Muster der Gattentreue« im Grabe ihres in der Schlacht gefallenen Mannes –, sondern auch die leidenschaftliche Fiordespina und die unbeständige Doralice. (In seiner abgebrochenen Vertonung schreibt Salieri an einer Stelle versehentlich »Doralice« statt »Dorabella«: Ihm war also bewusst, dass Ariost hier Pate stand.)

Ludovico Ariosto, Autor von *Orlando furioso*, einer wichtigen Quelle für Da Pontes Libretto. Ölporträt von Tizian, um 1510.

Bei Ovid wie bei Ariost unternehmen die Männer – anders als Ferrando und Guilelmo – aus einem bestimmten Motiv die Treueprobe: aus Eifersucht. Bei beiden ist es der Ehemann selbst, der, verwandelt oder maskiert, seine eigene Frau prüft. Die Überkreuzverführung stammt aus einer anderen Traditionslinie, deren früheste Ausformung bei Boccaccio zu finden ist. In dessen *Decamerone* übernimmt ein Bekannter des Ehemanns die Prüfung, nachdem er die Treue der Gattin bezweifelt und nun seine eigene Ehre mit der Entehrung der unschuldigen Frau zu beweisen hat – woran er letztlich scheitert. (Ein ähnlicher Vorgang ereignet sich auch in Shakespeares Drama *Cymbeline.*)

Così fan tutte kombiniert die beiden Stoffstränge: Das »Experiment«, das Alfonso mit den vier jungen Leuten durchführt, leitet sich aus dem Wetten-Motiv her, die vorgetäuschte Abreise und Maskierung entstammt dem Procris-Mythos um die Treueprobe.

Die Frage nach Treue und Beständigkeit findet sich, genau wie die Lust an der Auflösung festgemeißelter Verbindungen, in Marivauxs Theaterstücken auf Schritt und Tritt. Besondere Berühmtheit hat die Komödie *La dispute* (*Der Streit,* 1744) erlangt; in ihr tritt ein Mann als Zeremonienmeister der Intrige in Erscheinung: Die Frage, wer in der Liebe zuerst »unbeständig« gewesen sei, der Mann oder die Frau, wolle er exemplarisch beantwortet wissen; das Stück endet im Partnertausch. Ein ähnliches Ergebnis hat Marivaux in seiner Komödie *La Double Inconstance* (*Verführbarkeit auf beiden Seiten,* 1723) hergestellt, auch *Le Jeu de l'amour et du hasard* (*Das Spiel von Liebe und Zufall,* 1730) bringt zwei Paare im doppelten »Überkreuz« zusammen.

Wenige Jahre vor der Uraufführung hatte sich in Paris eine Affäre zugetragen, die für *Così fan tutte* eine gewisse Bedeutung gehabt haben könnte. Zentrum dieser Geschichte war Guillaume Kornman, der seine Frau des Ehebruchs mit einem gemeinsamen Bekannten bezichtigt und ins Gefängnis hatte werfen lassen. Doch Beaumarchais, der Dichter des *Figaro,* versuchte anhand von Briefen nachzuweisen, dass Kornman die beiden geradezu ermuntert habe, in seiner Abwesenheit einander näherzukommen. Zur Zeit des Skandals, 1786, lebte Antonio Salieri bei Beaumarchais in Paris. Mit Sicherheit hat Salieri an der Fehde seines Gastgebers Anteil genommen, und es ist durchaus denkbar, dass er Da Ponte davon berichtet hat. Vielleicht haben sie sogar den Kornman-Skandal als Idee für einen aktuellen Stoff erwogen. Das würde die ungewöhnliche Schreibweise des Namens Guilelmo – als Entlehnung der französischen Form Guillaume – erklären.

Im Laufe der Zeit hat die philosophische Strömung des Materialismus aus dem Cephalus-Mythos ein naturwissenschaftliches Experiment gemacht. Den geistesgeschichtlichen Hintergrund dafür haben die Ideen La Mettries (1709–1751) geliefert. Dessen Schrift *L'Homme Machine (Der Mensch, eine Maschine)*, um die Mitte des 18. Jahrhunderts erschienen, markiert den Beginn der materialistischen, modernen Naturwissenschaft. Im Wesentlichen behauptet er, dass Mensch und Tier wie Maschinen funktionieren; werden sie bestimmten Reizen ausgesetzt, reagieren sie auf eine vorhersagbare Weise. Don Alfonso ist offenbar überzeugt von dieser Lehre und will sie anhand eines erotischen Automatismus beweisen. Dabei postuliert La Mettrie einen grundlegenden Unterschied zwischen Frauen und Männern. Kurz gesagt: Frauen folgen ihren Leidenschaften, sind zu größerer Zärtlichkeit und Hingabe fähig, verfallen aber auch eher dem Aberglauben; die charakterliche Festigkeit der Männer ist schon an ihren ausgeprägteren Gesichtszügen abzulesen und wird durch entsprechende Erziehung noch verstärkt. Da Ponte zeichnet mit seinem Don Alfonso einen Nachfahren La Mettries, der seinen Zeitgenossen darüber belehren will, wie das Leben eben sei – und dass man niemanden dafür bestrafen dürfe, der sich nach den Gesetzen der Natur gar nicht anders verhalten könne.

Joseph II. nimmt vor seinem Tode Abschied von Mitarbeitern und Vertrauten. Im Februar 1790 notiert er: »Nun sehe ich, dass Gott alle meine Werke zertrümmern will«, und wenige Tage vor seinem Tod diktiert er seinem Sekretär: »Ich habe immer nur gewollt …«

Grenzen der Aufklärung

Für die Figur des Alfonso könnte eine weitere Gestalt der Zeitgeschichte Modell gestanden haben, sozusagen als die andere Seite einer widersprüchlichen Medaille. Nicht als Persönlichkeit, aber als Vertreter der großen Idee der Aufklärung: Kaiser Joseph II. Mit dem »Ausgang des Menschen aus seiner selbstverschuldeten Unmündigkeit« (Immanuel Kant) erweiterte sich der geistige Horizont des Menschen. Die ihm daraus zugewachsene Selbstverantwortung veränderte das Leben – nicht nur in seiner Existenz als *Homo politicus,* sondern auch ganz privat. Das Institut der Ehe wurde säkularisiert, und die neue Gesetzgebung des Habsburger Monarchen ließ erstmals auch ihre Lösung zu: Das geschah im Zuge der Französischen Revolution, in deren erstem Sommer, Herbst und Winter *Così fan tutte* geschrieben wurde.

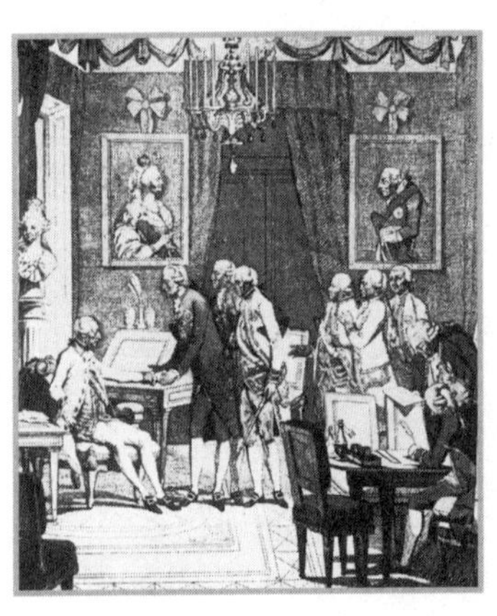

Des Kaisers Reformen und ihr Scheitern

»Alle Menschen sind von Geburt gleich; wir erben von unseren Eltern nur das animalische Leben, dabei besteht nicht der geringste Unterschied zwischen König, Graf, Bürger und Bauer. Ich finde, dass weder ein göttliches noch ein natürliches Recht dieser Gleichheit entgegensteht.« Das hatte der spätere Kaiser Joseph II. (1741–1790) als junger Mann in einer Denkschrift an seine Mutter Maria Theresia notiert. Drei Monate nach dem Antritt seiner Alleinregierung bekräftigte er diese Überzeugung: »In einem Reiche, das ich regiere, muss, nach meinen Grundsätzen beherrscht, Vorurteil, Fanatismus, Parteilichkeit und Sklaverei verschwinden, damit jeder meiner Untertanen in den Genuss seiner angeborenen Freiheiten eingesetzt werden kann.«

Doch in Josephs letzten Lebensjahren machte sich allenthalben Unzufriedenheit breit. »Warum wird Kaiser Joseph von seinem Volke nicht geliebt?« fragte eine Flugschrift – ausgerechnet jener Joseph, auf den Mozart so große Hoffnungen gesetzt hatte: ein Freund der Künste, der Musik, des Nationaltheaters, des deutschen Singspiels. Die Flugschrift listet seine Errungenschaften auf, eigentlich eine eindrucksvolle Bilanz: Er hatte Denk- und Schreibfreiheit eingeführt, Leibeigenschaft und Folter aufgehoben, die Religionsfreiheit gestärkt und Toleranz verlangt. Den aufklärerischen Bestrebungen der Freimaurer stand der Kaiser aufgeschlossen gegenüber. Im Gegenzug hatte er das Klosterwesen eingedämmt und die Zahl der Mönche verringert, die Bischöfe unter kaiserliche Herrschaft gestellt, Zahlungen an den Papst beendet. Das Rechtswesen wurde verlässlich, die Wirtschaft reformiert, die Steuern gerechter, die Ärzte geprüft und die Verwaltung unter strengere Kontrolle gestellt. Dass er sich mit diesen Maßnahmen nicht nur Freunde gemacht hatte, liegt auf der Hand. Kirche, Adel und Beamtenschaft, die drei einflussreichsten Kräfte der Gesellschaft, hatte er gleichzeitig gegen sich aufgebracht. Und auch die von diesen dreien Abhängigen hatten unter den Reformen zu leiden, wodurch sich paradoxerweise gerade die Schicht, die Joseph besonders stärken wollte, am schärfsten gegen ihn wandte.

Auch um die Außenpolitik stand es nicht zum Besten. Ob Ungarn, Böhmen oder die Niederlande, alle nahmen ihm die kompromisslose Zentralisierung übel. Durch die Bündnisverpflichtung mit Russland musste Österreich in den Krieg gegen die Türkei ziehen, Teuerungen waren die Folge, Plünderungen drohten, natürlich hatte die Kultur zu leiden. Als sich sein Tod abzeichnete, stand Joseph II. vor den Trümmern seines Lebenswerkes.

Die Scheidung war eine Option geworden, die allerdings auch die Anforderungen an eine glückliche Partnerschaft erhöhte. Wenn das Heiraten nicht mehr arrangiert wird, wächst auch die Verantwortung der Partner füreinander; dadurch bekam die Frage nach der Treue eine neue Brisanz. Diejenigen, die eine Einheit von Liebe und Ehe (und damit Treue) einforderten – sie waren die Protagonisten des aufstrebenden Bürgertums. Wissenschaftliche Erkenntnisse, die dieses Konzept in Frage stellten, interessierten sie nicht. Die Idee von einem maschinenähnlichen Funktionieren des Menschen gefährdete ihr Weltbild. So etwas konnte, durfte nicht sein, das wollte man nicht mehr hören. Deswegen ist Alfonso der »alte Philosoph«, der Vertreter einer inzwischen schon jahrzehntealten Bewegung.

Von ersten Noten bis zur Uraufführung – und ein neuer Titel für die Oper

Im Februar 1789 war Da Pontes Libretto zu *La scola degli amanti* »frei« geworden – zu einer Zeit, da Mozart unbedingt eine neue Oper schreiben wollte: Er brauchte Geld, und er musste seine Position als führender Musikdramatiker festigen. Seine letzte große Premiere, *Don Giovanni,* lag nun schon fast anderthalb Jahre zurück.

Im Spätsommer 1789 gab es wieder einen Lichtblick: Eine Wiederaufnahme von *Le nozze di Figaro* in Wien. Anders als in der Uraufführungsserie am selben Ort drei Jahre zuvor wurde die Oper nun zu einem Renner. Der große Erfolg hat vermutlich den Ausschlag gegeben, dass Mozart und Da Ponte vom Wiener Hof mit der Komposition einer neuen Oper beauftragt wurden; vielleicht ging diese *scrittura* sogar vom Kaiser selbst aus. Ersteres muss aus Mangel an Dokumenten einstweilen Vermutung bleiben, letzteres ist nicht auszuschließen, aber eher unwahrscheinlich: Der Kaiser war bereits schwer krank (eine Lungentuberkulose, Malaria und ein Blutsturz im April 1789 hatten ihn extrem geschwächt), und mit der schwierigen Außenpolitik war er mehr als ausgelastet.

Mozart verband die üblichen Anpassungen der *Figaro*-Partitur an die neue Sängerbesetzung und andere kleine Aufträge strategisch mit den Vorbereitungen für *Così fan tutte.* Die Partie der *Figaro*-Susanna übernahm erstmals Adriana del Bene, für die Mozart zwei neue Arien komponierte. Zwischen August und Oktober schrieb Mozart noch drei weitere Einlagearien für die Sängerin Louise Villeneuve. Da

Mozarts Geldsorgen

Mozart dürfte in seinem »Krisenjahr« 1787 gut das Dreifache eines Wiener Oberarzt-Gehalts verdient haben. Seit 1787 erhielt er jährlich 800 Gulden aus der kaiserlichen Kasse, dazu kamen unregelmäßige Einnahmen, etwa aus Subskriptionskonzerten. Mozart konnte sich zeitweise ein Reitpferd halten, beschäftigte einen Diener und Haushaltshilfen. Trotz der beachtlichen Einkünfte begann im Sommer 1789 eine Serie von erschütternden Bettelbriefen an Michael Puchberg, die von echter Verzweiflung sprechen. Für die Ursachen dieser Not gibt es mehrere Theorien:

- Spielleidenschaft oder sogar Spielsucht
- wegbrechende Einnahmen wegen des Türkenkriegs
- Der Adel hatte sich nach dem Affront des *Figaro* von Mozart abgewendet. Manche Namen, die für Mozart zu Anfang seiner Wiener Zeit wichtig waren, verschwanden aus seinem Leben. Andererseits wurde im Herbst 1789 gerade diese Oper 29 Mal gespielt.
- Constanzes medizinische Behandlung: Ihr Fußleiden war beim damaligen Stand der Medizin gefährlich und potenziell lebensbedrohlich. Eine Krankenversicherung gab es nicht, die Rechnungen für Ärzte und Apotheker müssen horrend gewesen sein, dazu kam ein Kuraufenthalt in Baden, der »entsetzliche Kosten« (Mozart) verursachte.

Nur dieser letzte Punkt ist gesichert als ein Grund für Mozarts Finanzmisere. Es ging ihm nicht durchweg finanziell schlecht, sondern es war eher ein Auf und Ab. Für *Così fan tutte* rechnete er mit einem stattlichen Honorar, er schrieb von 200 Dukaten oder rund 900 Gulden, etwa dem Doppelten der üblichen Vergütung. Über Monate blieben Bittbriefe aus, dann flehte er Puchberg wieder um Hilfe an. Insgesamt hat Puchberg Mozart 1450 Gulden geliehen; ein Drittel davon hat er bis zu seinem Tod zurückgezahlt.

Ponte selbst hatte sie nach Wien geholt, wo sie an der Seite von Adriana Ferrarese ihr Debüt am Hofburgtheater bestritten hatte, und zwar mit der Partie des Amor in der Oper *L'arbore di Diana* (auf die vermutlich die zweite Arie der Dorabella, *È amore un ladroncello*, anspielt.) Die fünf neuen Arien dienten Mozart dazu, sich mit den stimmlichen Fähigkeiten dieser Sängerinnen vertraut zu machen, die auch in der neuen Oper mitwirken sollten.

Woher das unzutreffende Gerücht stammt, Adriana del Bene und Louise Villeneuve seien Schwestern gewesen, ist nicht ganz klar.

Vermutlich hat es damit zu tun, dass einige Jahrzehnte zuvor zwei italienische Schwestern als Sängerinnen berühmt geworden waren, von denen die eine den Beinamen »La Ferrarese« trug: Caterina Gabrielli und Francesca Gabrielli detta la Ferrarese. Daher rührt sicherlich der hier und dort fälschlicherweise Adriana zugeschriebene Nachname »Gabrieli«.

Adriana Ferrarese del Bene, die erste Fiordiligi (2. von links). Stich von Francesco Rainaldo nach einer Zeichnung von Antonio Fedi.

Francesco Benucci war Mozarts erster Figaro und sein erster Wiener Leporello gewesen, für Vincenzo Calvesi – er galt als der führende lyrische Tenor seiner Zeit im italienischen Repertoire – hatte er bereits 1785, im Jahr von dessen Debüt am Wiener Nationaltheater, eine Einlagearie komponiert. Das Ehepaar Bussani hatte wie Benucci schon an der *Figaro*-Uraufführung mitgewirkt: Dorotea als Cherubino und Francesco in der Doppelrolle als Bartolo und Antonio.

Vermutlich hat Mozart schon im Laufe der ersten Jahreshälfte einige Passagen der Oper entworfen (Spuren in seiner Partitur deuten darauf hin ebenso wie recht konkrete Verhandlungen mit dem Prager Opernimpresario Domenico Guardasoni); doch selbst mit solcherlei Vorarbeiten ist die Zeit zwischen dem offiziellen Auftrag – der ver-

mutlich frühestens Anfang September erteilt wurde – und der Uraufführung denkbar knapp gewesen. Er hat seine ganze kreative Kraft auf dieses Projekt konzentriert: Der Herbst 1789 war offenbar fast ausschließlich *Così fan tutte* vorbehalten. Wenige andere Stücke finden sich zwischen August 1789 und Januar 1790 in seinem *Verzeichnüss aller meiner Werke*, und fast alle davon haben einen Bezug zu *Così fan tutte* – so wie die oben genannten Einlagearien. Selbst eine Komposition wie der erste Satz des Klarinettenkonzerts, den Mozart im Dezember entwarf, steht mit der Oper in Verbindung.

Mozart muss in vielen Punkten der Figurenzeichnung und der Handlung des Librettos, ja bis in ihren Kern mit Da Ponte gerungen haben. Um diesen Handlungskern – die Frage, wen die beiden Männer zu verführen versuchen: die eigene Verlobte oder die des anderen – gab es offenbar bis kurz vor der Premiere heftige Diskussionen.

Auch der ursprüngliche Titel der Oper wurde auf Mozarts Veranlassung geändert. Da Ponte jedenfalls nennt in seinen Memoiren

Dorotea Bussani, die erste Despina, geboren als Tochter eines Professors an der Wiener Militärakademie, und ihr zwanzig Jahre älterer Mann Francesco, der auch Ambitionen als Theaterleiter hatte und mehrfach mit Mozart und Da Ponte aneinandergeriet. Silhouetten von Hieronymus Löschenkohl.

immer nur den späteren Untertitel *La scola degli amanti.* Die Formulierung greift Komödien von Molière wie *Die Schule der Frauen* oder *Die Schule der Ehemänner* auf. Noch näher liegt allerdings die Verbindung zu Salieri – zitiert doch dieser Name, auch in der vom Üblichen abweichenden Schreibweise, eine von dessen älteren Opern: *La scola de'gelosi (Die Schule der Eifersüchtigen)* von 1779, nach einem Text von Da Pontes Freund und Förderer Caterino Mazzolà, in Wien erstmals 1783 aufgeführt. Für Mozarts Geschmack war diese Referenz auf eine frühere Oper Salieris vielleicht ein doch zu deutlicher Hinweis darauf gewesen, dass das Libretto nicht von vornherein für ihn selbst konzipiert war. Wie dem auch sei, der alte Name wurde zum Untertitel herabgestuft und ein anderer für das Werk gefunden – der es aufs Engste mit Mozarts Schaffen verknüpfte. Dieser neue Titel, der Alfonsos Resümee der Handlung aufgreift, ist nämlich ein Zitat aus einer anderen Oper von Da Ponte und Mozart: *Le nozze di Figaro.* Als dort der von Susanna unter einer Decke im Sessel versteckte Cherubino vom Grafen entdeckt wird, kommentiert Basilio: »Così fan tutte le belle, non c'è alcuna novità«: So machen es alle Hübschen, das ist nichts Neues. In *Le nozze di Figaro* können die Gräfin wie Susanna dieses Vorurteil widerlegen. In *Così fan tutte* wird – scheinbar – das Gegenteil demonstriert: Alle Frauen verhalten sich so untreu, wie Alfonso es vorhergesagt hat. Vielleicht hat Da Ponte die Sentenz gar nicht als *Figaro*-Zitat gedacht. Mozart jedenfalls hat den Bezug weit in den Vordergrund gerückt – mit der prägnanten Vertonung des Satzes im 2. Akt und durch die zweimalige instrumentale Vorwegnahme dieses Motivs in der Ouvertüre. Dass ihm diese Parallele wichtig war, ergibt sich aus einem zweiten *Figaro*-Zitat, nunmehr einem rein musikalischen, für das mithin Mozart allein verantwortlich ist: Er greift auch die *Melodie* Basilios auf und benutzt sie im schnellen Teil der Ouvertüre.

Der neue Titel muss erst ganz kurz vor der Uraufführung gewählt worden sein, manche der Bläserstimmen sind noch mit dem alten Titel, *La scola degli amanti*, beschriftet – keine Spur von »Così fan tutte«. Die Kopisten hatten offenbar schon mit der Vervielfältigung dieser Parts begonnen, als es den neuen Titel noch gar nicht gab. Daraus ergibt sich auch, dass die Ouvertüre (wie üblich) als Letztes komponiert wurde.

Denn erst, nachdem der Titel feststand, ergab die enge Verknüpfung der Anfangs- und Schlusstakte der Ouvertüre mit dem später gesungenen Motto einen Sinn: als zentrale Aussage der Alfonso-Figur, als Lernziel seiner »Schule der Liebenden«.

Auf die Bühne

Mozart schrieb üblicherweise erst die Ensembles, danach die Arien. Diese sollten auf das Können und den Charakter der Sänger zugeschnitten und deswegen möglichst spät fixiert werden. Der komplette Austausch von Guilelmos Arie im 1. Akt ist nicht der außergewöhnliche Sonderfall, für den man ihn hält. Mozart und Da Ponte haben noch weit mehr verändert, im Handlungsverlauf und in der musikalischen Struktur, sie haben Arien einer Figur weggenommen und einer anderen zugeordnet. Die Instrumentierung der Orchesterbegleitung folgte als letzter Arbeitsschritt, doch selbst in diesem Stadium hat Mozart noch Übergänge angepasst, Melodielinien bereichert, Takte hinzufügt oder gestrichen und den Gesangspart virtuoser gestaltet.

Mozart war dabei nicht allein. Er hatte Helfer, zum Beispiel den jungen Komponisten Joseph Eybler (1765–1846), der ihm bei den Proben assistierte – Proben wohlgemerkt, die parallel zur Komposition verliefen, als Mozart noch an der Orchestrierung arbeitete. Insbesondere sollte Eybler die Partien der Fiordiligi und Dorabella einstudieren, deren Interpretinnen ihren Divenstatus durch manche Allüren und Kabalen unterstrichen. Abgesehen davon wurde bei diesen Proben auch ganz konkret über die musikalische Substanz diskutiert. Eintragungen in Mozarts handschriftlicher Partitur zeigen, dass er mindestens in einem Fall nach einer solchen »Gesang-probe« den Melodieverlauf der Dorabella umkomponierte.

Ganze fünf Tage lagen zwischen der ersten Orchesterprobe und der Uraufführung, bis zur letzten Minute wurde überarbeitet, verbessert und gestrichen. Am 26. Januar 1790 wurde die Oper, gut vier Monate nach der Auftragserteilung, im K. K. National-Hof-Theater, dem heutigen Burgtheater, uraufgeführt; die musikalische Leitung hatte der Komponist. Ob er wirklich die 200 Dukaten (900 Gulden) dafür bekommen hat, wie im Brief an Michael Puchberg angekündigt? Die Dokumente der Hofopernkasse belegen nur das übliche Honorar für eine neue Oper: die Hälfte, 450 Gulden. Vier weitere Aufführungen folgten in den nächsten zwei Wochen. Dann wurde das Burgtheater geschlossen, weil Prinzessin Elisabeth gestorben und der Kaiser selbst todkrank war; er starb am 19. Februar. Nach Ende der Trauerzeit wurde die Oper am 6. Juni 1790 wiederaufgenommen und insgesamt noch weitere fünf Mal gegeben.

Die Handlung

Text und Stoffquellen Lorenzo Da Ponte, der Autor des Librettos, hatte seinen Text ursprünglich für Antonio Salieri vorgesehen, der seine Vertonung aber nach wenigen Takten abgebrochen hatte. Eine Hauptquelle für die Handlung, etwa eine direkte Vorlage wie ein Roman oder ein Schauspiel, lässt sich nicht nachweisen. Da Ponte hat gleichwohl entscheidende Motive rund um die Treueprobe aus der antiken Epik (Ovids *Metamorphosen*) und aus Ludovico Ariostos *Orlando furioso* aufgegriffen, das Thema der Wette um die Verführbarkeit einer Frau bei Boccaccio *(Decamerone)* gefunden und sich höchstwahrscheinlich auch auf entsprechende Stücke von Pierre Marivaux bezogen.

Uraufführung 26. Januar 1790, K. K. National-Hoftheater nächst der Burg (Burgtheater), Wien

Personen (laut dem Libretto-Erstdruck) Fiordiligi (dramatischer Koloratursopran, auch jugendlich-dramatischer Sopran, a–c^2) und Dorabella (eigentlich Sopran, heute meist lyrischer Mezzosopran, c^1–a^2), Damen aus Ferrara und Schwestern, in Neapel lebend; Ferrando (lyrischer Tenor, c–b^1) und Guilelmo [so die ungewöhnliche Schreibweise von Da Ponte und Mozart; die standardisierte Form »Guglielmo« hat sich erst nach Mozarts Tod durchgesetzt] (eigentlich Bass oder Bassbariton, heute meist lyrischer oder Kavalierbariton, G–e^1, *Rivolgete*-Arie bis fis^1), Liebhaber derselben; Despina, Kammermädchen (lyrischer Sopran oder Koloratursoubrette, c^1–b^2); Don Alfonso, alter Philosoph (eigentlich Bariton, heute auch Bass, A–e^1); Soldaten, Diener, Seeleute

Orchester 2 Flöten, 2 Oboen, 2 Klarinetten, 2 Fagotte, 2 Hörner, 2 Trompeten, Pauken, Streicher – Continuo: Cembalo / Fortepiano, Violoncello

Ort und Zeit der Handlung Neapel, keine Zeitangabe

Gliederung Ouvertüre und 2 Akte mit 31 Musiknummern, verbunden durch Secco- und Accompagnato-Rezitative

Spieldauer etwa 3 Stunden

1. Akt Die Offiziere Ferrando und Guilelmo sind mit ihrem älteren Freund Don Alfonso in Streit geraten. Alfonso behauptet, dass die Verlobten der beiden, die Schwestern Dorabella und Fiordiligi, ihnen untreu werden könnten, genau wie alle anderen Frauen auch. Die jungen Männer fordern ihn empört zum Duell; stattdessen schlägt Alfonso eine Wette um 100 Zechinen vor: Innerhalb eines Tages will er seine Behauptung beweisen – unter der Bedingung, dass die beiden 24 Stunden lang tun, was er befiehlt. ▪ Fiordiligi und Dorabella sehnen die Hochzeit mit ihren Geliebten herbei. Statt ihrer erscheint Don Alfonso mit der Nachricht, dass Guilelmo und Ferrando in den Krieg ziehen müssen. ▪ Wie gelähmt nehmen die Frauen von ihnen Abschied. Der Soldatenchor ruft die Männer zum Aufbruch; gemeinsam mit Alfonso wünschen Fiordiligi und Dorabella ihnen eine glückliche Reise. ▪ Beim Zubereiten der Frühstücksschokolade beklagt sich das Kammermädchen Despina über die soziale Ungerechtigkeit. Fiordiligi und Dorabella sind von ihrem Schmerz über den Verlust ihrer Liebhaber überwältigt: Dorabella will durch nichts von ihrer Qual erlöst werden, es sei denn durch den Tod. Als Despina den Grund für die Klagen erfährt, lacht sie die beiden aus und schlägt ihnen vor, sich in der Zwischenzeit lieber anderweitig zu vergnügen, so wie ihre Verlobten es gewiss selbst täten. Fiordiligi und Dorabella sind entrüstet. ▪ Um die Gefahr aus dem Weg zu räumen, dass die clevere Despina seinen Plan durchkreuzt, besticht Alfonso sie und zieht sie halb ins Vertrauen. Sie soll helfen, zwei unbekannte Verehrer mit den Damen bekannt zu machen. ▪ Diese Fremden treten ein: Ferrando und Guilelmo in exotischer Verkleidung. Despina erkennt sie nicht. ▪ Die Schwestern sind außer sich, fremde Männer in ihrem Haus vorzufinden, und als diese ihnen auch noch Komplimente machen, geraten sie vollends in Wut. Alfonso kann sie eben noch beschwichtigen. Wiederum erklären die Besucher den Frauen ihre glühende Verehrung. Fiordiligi antwortet mit einer Erklärung ihrer unwandelbaren Treue, die wie ein Fels in der Brandung stehe. Nur mit der Bitte um Höflichkeit gegenüber den Gästen kann Alfonso die Frauen bewegen, die Männer wenigstens anzuhören. Guilelmo übertreibt daraufhin die Werbung zu Alfonsos Ärger so weit ins Anzügliche, dass Fiordiligi und Dorabella gekränkt flüchten. ▪ Die Männer glauben die Wette schon gewonnen, doch Alfonso dämpft ihren vermeintlichen Triumph: Bis zum Morgen haben sie ihm ihr Wort gegeben. Ferrando beschwört die Liebe als lebensspendende Kraft. ▪ Alfonso und Despina planen das weitere Vorgehen; Despina ergreift die Initiative. ▪ Vor den Augen der weiterhin klagenden Frauen täuschen Ferrando und Guilelmo einen Selbstmordversuch vor: Sie trinken »Arsenikum« und verfallen in Krämpfe und Ohnmacht. Despina rät ihren Damen, den Männern beizustehen, während sie und Alfonso Hilfe holen. Bei näherer Betrachtung weicht die Verärgerung Fiordiligis und Dorabellas einem wachsenden Mitleid und einer gewissen Anziehung. ▪ Despina betritt als Arzt verkleidet den Raum und heilt die Männer mit einem Magnetstein des seinerzeit legendären Doktor Mesmer. Beim gespielten Wiedererwachen umschmeicheln die Männer die Frauen mit erstarkter Überzeugungskraft. Fast schwankend geworden, geraten die Schwestern durch die Forderung nach einem Kuss neuerlich in Zorn. Die Männer hoffen, dass das Feuer dieser Wut nicht am Ende noch in Liebe umschlägt; Despina und Don Alfonso sind sich sicher, dass genau dies geschehen wird.

2. Akt Despina sucht die Bedenken der Frauen zu zerstreuen und bringt sie dazu, den Männern wenigstens Gesellschaft zu leisten und sich mit ihnen die Zeit zu vertreiben: Jede Frau müsse die Kunst verstehen, mit den Männern zu spielen. ▪ Dorabella kann die letzten Zweifel ihrer Schwester beseitigen und gibt zu, sich bereits für den lustigeren Brünetten entschieden zu haben; Fiordiligi will sich dem Blonden zuwenden. Ohne es zu ahnen, wählen sie damit jeweils den Verlobten der Schwester zum Liebhaber. ▪ Währenddessen haben die Männer im Garten eine Serenade zu Ehren der Frauen vorbereitet. Als die vier zusammentreffen, fehlen ihnen auf einmal die Worte. Despina und Alfonso übernehmen für sie das Sprechen: Die Männer entschuldigen sich für die vorangegangenen Zumutungen, die Frauen verzeihen. Dann ziehen sich die Intriganten zurück. ▪ Fiordiligi fordert Ferrando zum Spazierengehen auf, und wohl oder übel willigt er ein. ▪ Guilelmo bleibt mit Dorabella zurück. Sie gibt seinem Werben nach: Er schenkt ihr ein Herz als Symbol seiner Liebe und vertauscht es gegen das Bild ihres Verlobten. ▪ Fiordiligis übersteigerte Abweisung lässt Ferrando zunächst glauben, dass sie unsicher geworden sei, worüber er sich betont ausgelassen freut; als sie nun aber beharrlich schweigt, gibt er auf und geht fort. ▪ Allein geblieben, gesteht Fiordiligi sich ein, dass sie schwach zu werden drohte, und fühlt sich schuldig gegenüber ihrem Verlobten; mit großer Anstrengung zwingt sie sich zu ihrem Treuegrundsatz zurück. ▪ Ferrando erfährt von Guilelmo, dass Dorabella ihn mit seinem Freund betrogen hat. Guilelmo versucht ihn zu trösten, indem er dem ganzen weiblichen Geschlecht Flatterhaftigkeit vorwirft. ▪ Ferrando ist zutiefst verletzt. Obwohl Ferrando von Dorabella betrogen wurde, empfindet er immer noch Liebe für sie. Guilelmo fordert von Alfonso seinen Anteil am Wettgewinn, doch der besteht darauf, die gesamte vereinbarte Zeit auszuschöpfen. ▪ Despina lobt Dorabella für ihren Sinneswandel. Fiordiligi gesteht, dass sie nur mit Mühe ihrer steigenden Zuneigung für den Fremden widerstanden habe. Dorabella sagt ihrer Schwester voraus, dass auch sie werde nachgeben müssen: das liege eben in der Natur der Liebe. ▪ Fiordiligi setzt eine Idee in die Tat um, mit der sie ihre Treue bewahren will: In alten Uniformen ihrer Verlobten will sie mit Dorabella den Männern in den Krieg folgen. Als sie gerade ihre innere Sicherheit wiedergewonnen glaubt, dringt Ferrando in das Zimmer ein. Ihm, der nichts mehr zu verlieren hat, gelingt es nun mit dem Mut der Verzweiflung, die erschütterte Fiordiligi zu gewinnen. ▪ Alfonso versucht, den ernüchterten Männern eine Perspektive für das Geschehene zu vermitteln: Da sie noch immer ihre Verlobten liebten, liege der Fehler in ihren eigenen falschen Erwartungen. Er schlägt vor, noch am selben Abend mit den »alten« Bräuten Doppelhochzeit zu feiern, und erteilt Ferrando und Guilelmo seine Lehre: »Così fan tutte«, »So machen es alle Frauen«. Das Spiel ist aus, Alfonso hat die Wette gewonnen. ▪ Da platzt Despina herein: Sie hat unterdessen schon alles Nötige für die Hochzeit der *neuen* Paare vorbereitet. Die drei Männer stimmen sofort zu. ▪ Die Festtafel wird dekoriert und ein Gratulationslied gesungen; nur Guilelmo kann seine Verbitterung nicht unterdrücken. ▪ Als Notar kostümiert bringt Despina die Eheverträge. Just als die Frauen unterschrieben haben, verkündet der Chor die Rückkehr der Soldaten. Die »neuen« Männer werden versteckt und kommen als »alte« Verlobte in ihren Uniformen wieder. Zum Entsetzen der Frauen entdecken die Männer die verkleidete Despina, finden die Verträge und drohen, Blut zu vergießen. Die Frauen flehen um Vergebung und beschuldigen Alfonso, er habe sie in die Affäre hineingezogen. Gleich darauf lösen die Männer das Verwirrspiel auf und offenbaren ihre Doppelrolle. Fiordiligi und Dorabella sind fassungslos, und auch Despina ist verblüfft über die Identität der exotischen Besucher. Alfonso führt die »alten« Paare wieder zusammen. Aber ob sich die Erkenntnis, »selbst mitten in den Stürmen des Lebens« gelassen zu bleiben, wirklich umsetzen lässt, wird sich erst noch erweisen müssen.

Figurenkonstellation

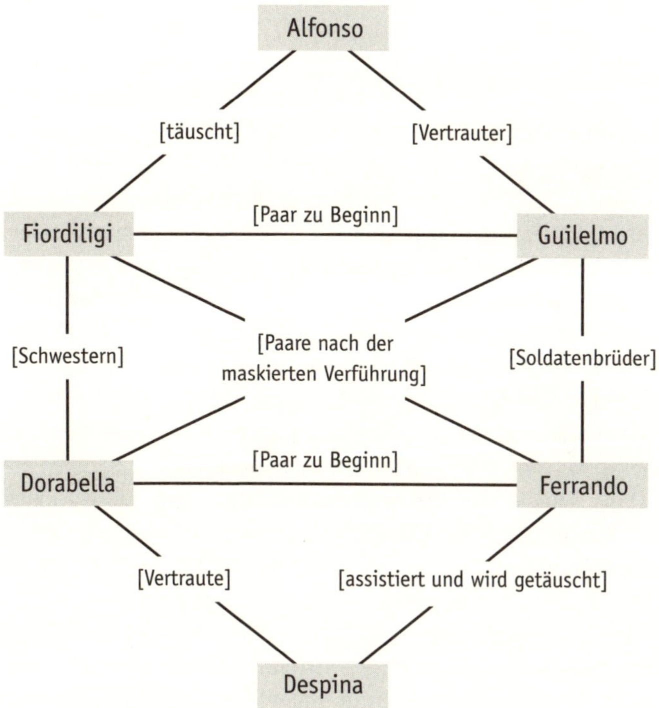

Das Werk im Überblick

Die Ouvertüre

Die Ouvertüre von *Così fan tutte* enthält die Essenz der Opernhandlung – ja, sie bereitet sogar, rein instrumental, die 1. Szene vor. Nach zwei trockenen Tutti-Akkordschlägen im Oktavabstand (der zweite mit punktiertem Auftakt) übernimmt die Oboe mit einem aufsteigenden C-Dur-Dreiklang die Führung und leitet mit einer kleinen, eleganten Wendung in die Dominante G-Dur, in der die ersten beiden Takte auf ähnliche Weise wiederholt werden. Aber jetzt beginnen die Bassinstrumente ein Eigenleben, schreiten weiter nach unten, eine neue Kadenz berührt mit einem Hauch von Wehmut die Paralleltonart a-Moll – ein Motiv, das später noch sehr wichtig wird: Das »Motto« der Oper schleicht sich über die Bassstimme quasi hinein (im Notenbeispiel gleich am Anfang). Dann wieder das ganze Orchester: Tutti, fünf laute Akkorde in gemessenem Tempo, eine klassische Kadenz wie eine Antwort auf die vorangegangene Bassstimme – und schon startet das rasende Presto. Irrwitzig schnelle Tonrepetitionen, auf jeder Stufe der aufsteigenden Tonleiter wiederholt; im Forte dreinfahrende synkopierte Akkorde, die sich dem metrischen Fluss entgegenstemmen; kreisende Figuren, die kein Ziel finden; die gehetzte Stimmung wird einzig durch ein in g-Moll schwebendes Motiv ohne Bassfundament ein wenig gemildert.

Es sind Allerweltsmotive: Tonwiederholungen, aufsteigende Tonleitern, Notenwechsel im Sekundschritt, Akkorde in Synkopen – ein Spiel, das fast absichtlich unoriginelle, zur Formel erstarrte Klangfiguren einsetzt und sie wie ein durchdrehendes Rad im Leerlauf kreisen lässt. Mokiert sich Mozart hier womöglich über minderbegabte Kollegen, schreibt eine Ouvertüre »come tutti«, wie jeder es könnte? »Così fan tutti« – der Leitsatz des Werkes wäre schon hier vom Komponisten verallgemeinert, nicht mehr nur auf die Frauen gemünzt. Gegen diese reizvolle Interpretation spricht allerdings, dass Mozart, wenn er untalentierte Dorfmusikanten parodiert, das dem Hörer eindeutig zeigt. In der Ouvertüre zu *Così fan tutte* ist aber alles verschleiert. Selbst das auf S. 34 erwähnte Zitat aus *Le nozze di Figaro* versteckt sich im Gewimmel.

In der formalen Anlage finden sich allenfalls Spuren der Sonatenhauptsatzform, die aber funktional ausgehebelt ist, denn die Einschnitte sind verschleiert, thematische Gegensätze entfalten keine Wirkung. Man könnte sich in der Aneinanderreihung verschiedener Episoden auch an ein barockes Concerto grosso erinnert fühlen. Das motivische Material wird in verschiedene Konstellationen gebracht und dabei nur peripher verändert – nicht in der Substanz, sondern in der Erscheinung. Was hingegen variiert wird, sind klangliche Gegebenheiten: die Instrumentation, die Lage innerhalb des Tonsatzes, die Funktion durch das Durcheinanderwürfeln der Motivfolge. Die Klangfarbe wird damit zum strukturellen Faktor. Zum Beispiel wird von den Trompeten, die mit Oktaven (jeweils auf der Eins) zu den kreisenden Achtelfiguren der Holzbläser hinzutreten, das nahende Ende des schnellen Teils angekündigt. Durch diese Veränderungen ergibt sich die paradoxe Wirkung, dass sich ständig etwas zu wiederholen scheint, wo doch kaum ein Takt dem anderen gleicht. Das scheinbare, pures Chaos suggerierende Durcheinander nimmt ganz präzise das »Wirrwarr der Gefühle« (Julia Jones) vorweg, das die Oper dann in drei Stunden ausführt.

In den letzten Augenblicken des Stücks treibt Mozart die Verknüpfung von Ouvertüre und Handlung noch einen Schritt weiter. Das rasende Treiben bricht nach knapp drei Minuten unvermittelt ab, und es wiederholt sich die Sequenz, die in der Einleitung in die Paralleltonart a-Moll und dann mit den Tuttischlägen ins Presto geführt hat – fast Ton für Ton identisch und in annähernd derselben Instrumentierung. Nur die Notenwerte sind verdoppelt, was vorher eine Achtel war, ist nun eine Viertel; schließlich ist das Tempo ja auch viel schneller.

Die Handlung spielt in Neapel

»Die Handlung spielt in Neapel«, heißt es im Textbuch. Ursprünglich war dafür Triest vorgesehen, zwischenzeitlich auch Venedig. Die Oper war fast fertig, als die ganze Geschichte nach Neapel verlegt wurde. Man darf in den kurzfristigen Umzug deshalb nicht zu viel hineinlesen. Aber ganz zufällig werden Mozart und Da Ponte die süditalienische Stadt auch nicht ausgesucht haben. Die Metropole Neapel steht gewissermaßen für das Neue, insbesondere im Kontrast zu Pompeji, dem von den mehrmals im Libretto erwähnten Vulkanen verschütteten – und gerade erst wiederentdeckten – Alten. Der Ort bringt eine Ambivalenz mit sich, denn Süditalien ist, wie der Dirigent John Eliot Gardiner betont, eine Gegend, »wo der Duft nach wilden Kräutern und Pinien nur einen Aspekt der Natur darstellt; der andere tritt uns in Gestalt von Aloen, Agaven, Feigenkakteen, Skorpionen und Giftschlangen entgegen. Die Natur ist romantisch und verschwenderisch, aber auch grausam und gefährlich.«

Auch der Presto-Beginn wird wiederaufgegriffen und die Tonart C-Dur, mit einem aufsteigenden Crescendo, 21 Takte lang festgeklopft. Drei Schlussakkorde über einem Paukenwirbel – und aus.

Mit ihrer Wiederholung gewinnt diese Figur eine neue Funktion, eine mottoartige Bedeutung. Welche, wird dem Hörer erst viel später klar, wenn nämlich Alfonso vor dem Finale des 2. Aktes seinen beiden Freunden auf dasselbe Motiv seinen »Lehrsatz« vorspricht und sie ihn nachsingen: »Così fan tutte«. Mit diesem Wissen erschließt sich die raffinierte Verknüpfung von Ouvertüre und folgender Handlung. Alfonso hat genau dieses Motto, als gezielten Affront, in den Raum gestellt: erst leise angedeutet, dann laut bekräftigt – worauf, in der Schlusssteigerung der Ouvertüre, die Empörung der beiden jungen Männer bis in die Fortissimo-Akkorde der letzten Takte ausbricht. So hat, wenn sich der Vorhang hebt, das Stück bereits begonnen. Vom Publikum unbemerkt hat Mozart die Handlung schon anfangen lassen.

Die Manipulation wird eröffnet

Nr. 1 Terzett »La mia Dorabella capace non è«

Wenn die erste Szene beginnt – passenderweise im Kaffeehaus, dem Forum politisch-intellektuellen Austauschs, gerade zu Zeiten, in denen die Presse rigoroser Zensur unterworfen war –, sind wir also schon mittendrin im Streit der drei Männer. Der erste, von Ferrando gesungene Satz heißt »Meine Dorabella wäre dazu nicht fähig« – er ist also die Erwiderung auf eine Behauptung, die ihr unmittelbar vorausgegangen ist. Wozu sie seiner Ansicht nach nicht fähig sein soll (nämlich untreu zu werden), wird zwar aus dem Text, den Ferrando und Guilelmo hier und im folgenden Rezitativ singen, mehr oder weniger deutlich. Die auslösende Behauptung Don Alfonsos, von der sich die beiden jungen Männer so beleidigt fühlen, erleben wir jedoch nicht. Es sei denn, wir haben sie aus den Schlusstakten der Ouvertüre herausgehört. Dann ergibt sich eine für Alfonso schlüssige Entwicklung: Nachdem er in provozierender Absicht seine Zweifel an der Treue der Frauen geäußert hat, wiegelt er jetzt gönnerhaft ab – um damit die Männer nur noch mehr anzustacheln.

Er will über die beiden schönen Mädchen wissen, ob sie wie wir alle aus Fleisch, Knochen und Haut, sprich, ob sie Göttinnen oder Frauen seien. Frauen, ja, das geben die Männer gerne zu, »aber was für welche« – das singen sie, auf einmal zweistimmig, wie einstudiert. Alfonso gibt sich unbeeindruckt. Frauen sind sie also? Und bei Frauen wollt ihr Treue finden?

Nr. 2 Terzett »È la fede delle femmine« und Nr. 3 Terzett »Una bella serenata«

Die Treue von Frauen sei wie der »arabische Phönix«. Ferrando und Guilelmo können gar nicht anders als zu erwidern, ihre Verlobten seien solch ein Fabelwesen. Noch einmal führt Alfonso die beiden vor. Er fragt nach Beweisen für die Beständigkeit der Damen. Die Gründe, die sie ins Feld führen, entlarvt er als Klischees, zieht sie ins Lächerliche. Nachdem Alfonso die beiden derart hochgekocht hat, kann er nun zu seinem letzten Schlag ausholen. Er bietet ihnen eine Wette an. Noch heute will er beweisen, dass Fiordiligi und Dorabella genau wie alle anderen Frauen sind. Dafür sollen die jungen Männer alles tun, was er verlangt, und natürlich kein Wort verraten. Was genau ihre Aufgabe sein soll, das erfahren wir erst im Verlauf des Stückes, immer dann,

Eine kostspielige Wette

»Cento zecchini«, hundert Zechinen, das ist die Summe, um die Ferrando und Guilelmo mit Alfonso um die Treue ihrer Verlobten wetten. Zechinen oder Zecchinen sind Dukaten venezianischer Herkunft (dort, in Venedig, sollte die Handlung ursprünglich auch spielen). Sie wurden seit dem 13. Jahrhundert und im Habsburgerreich bis Anfang des 19. Jahrhunderts geprägt und hatten einen Goldgehalt von 3,5 Gramm. Deswegen lässt sich das Risiko, das die drei Männer eingehen, ganz gut abschätzen: 1 Gramm Feingold ist heute (2013) rund 40 Euro wert, und so könnte man am Metallgehalt orientiert für eine Zechine wohl um die 150 Euro ansetzen. Das macht insgesamt den stolzen Betrag von 15 000 Euro. Die zwanzig Scudi (damals aus Silber geprägte Münzen), mit denen Alfonso Despina besticht, waren auch nicht zu verachten: Zwei Scudi entsprachen einer Zechine, nach unserem Kurs verdient sie bei dem Geschäft also rund 1500 Euro.

wenn sie es schon tun. Nach der Kette von Beleidigungen und Demütigungen sind Ferrando und Guilelmo so blind vor Wut, dass sie nicht erkennen, worauf sie sich eingelassen haben; weder was den Inhalt der Wette betrifft noch ihren finanziellen Einsatz: Hundert oder – wie Guilelmo großspurig anbietet – gar tausend Zechinen sind kein Spaß, sondern ein Vermögen. Aber sie sind sich ihrer Sache dermaßen sicher, dass sie schon Pläne machen, wie sie ihren Gewinn ausgeben wollen. Sie werden im dritten der kleinen Terzette verkündet:

Ferrando will eine schöne Serenade als Kunstgenuss aufführen lassen, Guilelmo ein Festessen ausrichten; dieser charakterliche Gegensatz – die Präferenz fürs Leibliche beim einen und fürs Geistige beim anderen – wird zu gegebener Zeit noch verschärft. Nach geglückter Manipulation stimmt Alfonso gemeinsam mit seinen jungen Freunden den Schluss dieses Terzetts an und bekräftigt seine Leidenschaft für die Liebe an sich: »Was für Feste wollen wir immer wieder dem Gott der Liebe feiern!« Die vier bisher besprochenen Nummern, Ouvertüre und drei Terzette, stehen in den Tonarten C-Dur–G-Dur–E-Dur–C-Dur, die Abfolge ihrer Grundtöne bildet einen C-Dur-Dreiklang. C-Dur ist damit als Grundtonart der Oper aufs Deutlichste etabliert: C-Dur, die Tonart des Lichts, mit der Haydn in seiner *Schöpfung* die Welt erhellt, die Tonart der Aufklärung. Sie wird am Schluss der Oper – der ebenfalls in C-Dur steht – eine kräftige Trübung zu erleiden gehabt haben.

Ein Schock als Therapie-Auftakt

Nr. 4 Duett »Ah guarda, sorella«

Szenenwechsel vom Kaffeehaus in einen »Garten am Meeresstrand«. Hier warten die beiden Schwestern auf ihre Verlobten, die sich offenbar verspätet haben, und jede betrachtet ein Porträt ihres Liebsten.

Nach der Vorstellung der Männer (in einem Innenraum) folgt die Exposition der Frauen (im Freien). Der Ortswechsel wird auch rein musikalisch vollzogen: mit dem erstmaligen Gebrauch von Klarinetten und Hörnern, die nun das Orchester ergänzen. In dieser durch Klang geschaffenen Bühnenbild-Dramaturgie ist den Frauen mit der Natur auch ein gewisses geheimnisvolles Gefühl zugeordnet.

Fiordiligis und Dorabellas Duett besteht aus zwei Teilen. Der erste ist eigentlich eine Folge von zwei Soli – nacheinander beschreiben

Wie spät ist es bei Mozart um sechs?

Der erste Auftritt der beiden Schwestern spielt sich nach allgemeiner Auffassung irgendwann frühmorgens ab; die Kammerzofe Despina tritt ja mehrere Szenen später mit der Frühstücksschokolade auf. Doch bei Dorabellas Zeitangabe – »son già le sei« sagt sie, es sei schon sechs – gerät man ins Stutzen. Um sechs? In der Frühe? Wenn die Damen schon seit Längerem auf ihre Verlobten warten, müssten sie also zu nachtschlafender Zeit aufgestanden sein. Das kann man sich kaum vorstellen. Eine Erklärung für die von Dorabella bezeichnete Uhrzeit wäre die Tageseinteilung nach den katholischen Stundengebeten. Dort beginnt der Tag mit den *Laudes*, etwa bei Sonnenaufgang, um sechs Uhr: zur »ersten Stunde«. Die sechste Stunde wäre dann um zwölf. Das aber wäre wieder reichlich spät für ein Frühstück, das ja erst geraume Zeit später, nach dem Abschied der Männer, serviert wird. Wahrscheinlich ist das »sechs Uhr« ein Relikt aus einer früheren Fassung und bis zur Uraufführung nicht mehr korrigiert worden; ziemlich sicher ist der Schokoladenkännchen-Auftritt Despinas – mit dem expliziten Hinweis aufs »Frühstück« – erst später hinzugefügt worden. Ein Sinn von Dorabellas Satz findet sich nur in übertragener Bedeutung: Die Betonung liegt auf dem »già«, »schon«, die Männer sind überfällig. Der Zustand des Verlobtseins hätte längst in die Ehe überführt sein müssen. Mit ihrem Hinauszögern der Hochzeit haben die Männer erst die Situation geschaffen, in der Alfonso nun sein Experiment durchführen kann.

sie, die Medaillons mit den Porträts betrachtend, ihre Geliebten –, bevor sie im zweiten Teil gemeinsam ihren Liebesschwur anstimmen. Die Autoren haben beide Partien als Sopran bezeichnet und versucht, eine allzu augenfällige Differenzierung hinauszuzögern. Trotzdem sind von Anfang an subtile Unterschiede auszumachen, die bis zum Schluss wirksam bleiben. Doch seltsam – ähnlich wie im folgenden Rezitativ scheinen sie hier, in ihrem ersten Duett, ihre Rollen (bzw. ihre Partner) zu verwechseln. Fiordiligi schaut sich das Porträt Guilelmos an und beschreibt eigentlich Ferrando: ein so schöner Mund, ein so edles Antlitz; Dorabella hält Ferrandos Bildnis in Händen und schwärmt von jemandem wie Guilelmo: mit Feuer im Blick, aus dem Flammen und Pfeile hervorschießen. Mozart hat die Zuordnung mehrmals vertauscht, mal der einen, mal der anderen Figur die höhere Stimme zugeteilt; es könnte mithin sein, dass an dieser Stelle versehentlich noch eine ältere Fassung stehengeblieben ist. Dass er bis zuletzt daran gefeilt hat, als sogar schon die Orchesterpartitur geschrieben war, ist an seiner Notenhandschrift abzulesen. Eine Zeile Dorabellas wurde noch während einer Probe geändert, die wohl eigens zu dem Zweck anberaumt war, um diese Partie Louise Villeneuve wie bei einer Kostümanprobe anzupassen. Dabei ersetzte Mozart Oktavsprünge durch punktierte Dreiklangsbrechungen. Der zweite Teil ist dann ein »richtiges« Duett. Aber was für einen seltsamen Schwur bekräftigen die Frauen da immer wieder gegenseitig: »Wenn mein Herz jemals sein Begehren ändern sollte, dann möge Amor mich lebenslang quälen.« Es ist, als müssten sie sich unbewusst schon jetzt mit Drohungen dazu zwingen, ihrem eigenen Ideal zu genügen.

Die doppelte Textunterlegung ist Indiz dafür, dass Mozart dieses Duett aus der Partitur mit Louise Villeneuve probiert hat – so konnte sie beim Vom-Blatt-Lesen leichter der neuen, unteren Gesangsstimme folgen.

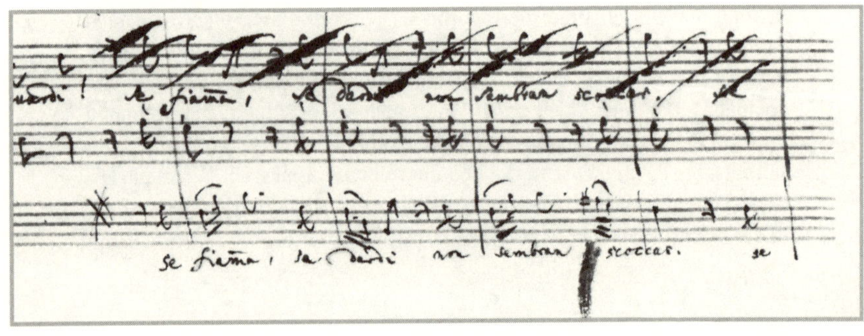

Fiordiligi ist aufgelegt zu ganz »verrückten« Sachen und spürt ein »gewisses Kitzeln« in den Adern, sie will Guilelmo einen Streich spielen; Dorabella sehnt gleichfalls »etwas Neues« herbei und sieht sich noch heute »vorm Altar« stehen. Auch diese Aussagen wären umgekehrt zugeordnet schlüssiger, ebenso wie die Handlese-Szene eher zur übersprudelnden Dorabella passt als zur nachdenklichen Fiordiligi: Aus den Handflächenlinien ihrer Schwester liest Fiordiligi praktischerweise zwei Buchstaben, ein M und ein P, »matrimonio presto!« (zu Deutsch: »baldige Hochzeit«). (Im Original steht übrigens »io voglio astrolicarti«, eine Wortschöpfung Da Pontes, die oft dem vermeintlich korrekten »io voglio astrologarti« angepasst wird – schade um die hübsche Kombination aus Sterndeutung und Kartenlesen.) Die Art, wie die Frauen in ihrer ersten Szene aus ihrer Rolle fallen – oder anders gesagt: einen Charakter zeigen, der dem widerspricht, den sie in der weiteren Handlung annehmen –, könnte darauf hindeuten, dass die Ausgangspaarungen tatsächlich die falschen sind, dass Fiordiligi besser zu Ferrando, Dorabella besser zu Guilelmo passt.

Dann tritt Alfonso auf. Er zögert die Nachricht hinaus, weckt die Neugier und steigert die Ungeduld: Selbst der Zuschauer weiß ja kaum mehr als die Frauen.

Nr. 5 Arie Alfonso »Vorrei dir, e cor non ho«

Scheinbar aufgewühlt findet er keine Worte für das Ereignis, das er zu berichten hat, und bereitet so seine bald folgende Lüge vor. Die Musik imitiert das stockende Sprechen, indem die Wörter nur Silbe für Silbe, durch Pausen getrennt, gesungen werden. Diese Tmesis genannte Stilfigur wurde als Ausdrucksmittel gerne verwendet, Mozart hatte sie auch schon in Solers Oper *Una cosa rara* gehört. Der Gestus der Atemlosigkeit wird durch die Orchesterbegleitung raffiniert sekundiert: mit gezupften Bässen, atemlos »nachklappenden« Achteln in den Violinen und zweistimmig geführten Bratschen, die eine klagende Gegenstimme spielen.

Diese erst kurz vor Abschluss der Komposition hinzugefügte Arie ist Alfonsos einzige. Das liegt in seiner Natur: Ein Intrigant beweist seine

Kunst im Einfluss, den er auf andere ausübt, nicht im einsamen Sinnieren. Es gibt aber noch einen praktischen Grund: Mozart war von der Gesangskunst seines Alfonso-Interpreten nicht restlos überzeugt. Wohl auch deswegen griff er auf den Agitato-Stil zurück, der sich in einer Arie aus Paisiellos *Il barbiere di Siviglia* findet – Francesco Bussani hatte genau diese Arie kurz vor der Premiere von *Così fan tutte* gesungen.

Endlich berichtet Alfonso, was ihn so in Schrecken versetzt hat: Die Soldaten sind in den Krieg gerufen worden. Der Virus der Täuschung ist eingepflanzt und zeitigt sofort seine Wirkung.

Beginn eines langen Abschieds

Nr. 6 Quintett »Sento, oddio« und Nr. 7 Duettino »Al fato dàn legge«

Das »Abschiedsquintett« ist ein schon vom Text her raffiniert gesetztes Stück, das Mozart zu einem formal austarierten Ensemble vertont hat. Es fasst viele Komponenten der Handlung zusammen: das exaltierte Verhalten der Frauen und ihre noch kaum unterscheidbare Individualität, das schon unterschiedliche Vorgehen Ferrandos und Guilelmos, das Wechselspiel zwischen den jungen, selbstzufriedenen Männern einerseits und dem skeptischen Alfonso andererseits.

Das – oft gestrichene – Duett ist die einzige Stelle, an der sich beide Männer vor ihrer Abreise an ihre Verlobten wenden. Zum letzten Mal können sie unverstellt und unenttäuscht ihre Liebe bekennen. Noch ist auch ihr Verhältnis untereinander ungetrübt und die Hoffnung auf ein glückliches Wiedersehen echt. Die kurze Wendung nach g-Moll in den Schlusstakten gewährt Einblick in ihre Seele.

Nr. 8 Coro »Bella vita militar«

Dann ruft ein Trommelwirbel zur Abreise, und kurz danach beginnt ein Marsch hinter der Bühne, der in einen Soldatenchor übergeht. Eine neuerliche Bosheit von Alfonso: Die Frauen, gerade noch halb gelähmt vor Angst, dass ihren Verlobten in der realen Gefahr des Krieges etwas zustoßen könnte, werden nun mit der demonstrativen Fröhlichkeit des singenden Soldatenvolks konfrontiert; darüber hinaus wird in dem Lied nicht nur das Soldatenleben allgemein gelobt, sondern vor allem der ständige Wechsel, der mit ihm einhergeht: jeden Tag an einem anderen Ort, jeden Tag eine neue Perspektive. Damit ist – aus Sicht

Mozart und die Bratsche

Mozart liebte den warmen und dunkel timbrierten Klang der Bratsche, die er selbst spielte. Leider waren nicht alle Bratschisten so begabt wie er. So hat er es für längere Zeit aufgegeben, diesem Instrument eine nennenswerte Rolle zuzuweisen. Zum Glück sah es im Orchester des Burgtheaters Mitte der 1780er Jahre besser aus. Diese Musiker inspirierten Mozart zu Bratschenstimmen, die dem Klang Tiefe verleihen, mit Melodien, die in lang ausgehaltenen, langsam fortschreitenden Noten einen Kontrapunkt zur Oberstimme bilden, häufig chromatische Linien zu spielen haben, in reizvollem Kontrast zu schnellen Figuren der hohen Streicher und abgesetzten Bassnoten. Er setzt sie ein in Szenen, die von Bitten, Klagen, Leiden, Ungewissheit geprägt sind, und verstärkt mit ihr die melancholische Stimmung. Auch in *Così fan tutte* schöpft Mozart bratschistisch aus dem Vollen: Alfonsos *Vorrei dir*, das Quintett *Sento, oddio*, das Terzettino *Soave sia il vento*, Ferrandos Cavatina *Tradito, schernito* (in der Ferrando zu Bratschenklängen Dorabellas »perfido cor« verflucht): Überall intensiviert die Bratsche subtil dunkle Stimmungen.

der daheimbleibenden Frauen – eine ganz andere Gefahr an die Wand gemalt: Promiskuität als Kollateralschaden.

Nr. 8a Quintett »Di scrivermi ogni giorno«

Dieses kleine Quintett von nur 52 Takten war von Lorenzo Da Ponte eigentlich als Accompagnato-Rezitativ gedacht. Mozart hat in diesen wenigen banalen Abschiedsworten das Potenzial für ein ausgewachsenes Gesangsensemble gesehen. Ist der Text an der Oberfläche voller Klischees, weist die Musik weit darüber hinaus. Buchstäblich Silbe für Silbe wird dieser Abschied zelebriert. Scheinbar wird die Situation des vorangegangenen Quintetts fortgeführt: Die Schwestern sind in ihrem Schmerz wie gelähmt, während die Männer ihre Rolle spielen. Aber was sagen die Töne? Über einem sanften Pulsieren des Orchesters setzen die vier jungen Leute nacheinander ein, einzelne Silben stammelnd. Zwei rhetorische Figuren gebraucht Mozart hier in seiner Textvertonung, Tmesis (Einschnitt zwischen die Silben) – wie sie schon, in schnellerer, atemlos gehetzter Variante in Alfonsos Arie zu hören war – und Suspiratio (von Pausen durchsetzter Vortrag). Erst nach einiger

Zeit schwingt sich Fiordiligi zu einer Gesangslinie von schwebender Entrücktheit auf, die Dorabella ebenso traumwandlerisch weiterspinnt. Die Männer antworten mit kürzeren Phrasen »Addio«, was die Frauen gleichzeitig wiederholen.

Alfonso krümmt sich derweil und singt heimlich beiseite: »Ich sterbe, wenn ich nicht lache.« Die jungen Männer aber passen sich der Musik der Frauen so bruchlos, in so vollkommener Gleichgestimmtheit an, dass man nur staunen kann. Keine Spur von Maskerade oder vorgetäuschtem Gefühl ist auszumachen. Vielleicht spüren sie, nachdem sie die heftige Reaktion ihrer Verlobten auf den Intrigeneinstieg erlebt haben, dass sich hier nicht nur ein inszenierter Abgang ereignet, sondern dass es sich nun, da das Spiel unwiderruflich seinen Lauf nimmt, um eine viel tiefer gehende Wendung handelt, den Aufbruch in ein bis dahin unbekanntes Land der Gefühle. Die Musik verrät, dass es sich um einen echten, endgültigen Abschied handelt. Nirgendwo sonst hat Mozart einen szenischen Moment so in die Länge gezogen wir hier. Nichts wird mehr so sein, wie es früher einmal war. Dazu trägt auch das richtige Tempo bei: Anders als das folgende Terzett, dessen alla breve-Taktangabe ein Fließen, ein Schwingen in größeren Einheiten suggeriert, steht dieses Andante in einem normalen $^4/_4$-Takt. Hier soll die Zeit, so wünschen es alle Beteiligten, für einige Schläge des Herzens stehenbleiben. Der Moment des Abschieds wird zu einem

Barke oder leichtes Boot

Mit was für einem Schiff legen Ferrando und Guilelmo ab? Da Pontes Text ist nicht eindeutig und wechselt zweimal, von Barke zu Boot und zurück. Vor dem Chor Nr. 8 spricht Alfonso von der wartenden »barca«, die noch erreicht werden müsse. Danach sagt er überraschenderweise, dass eben diese Barke bereits in See gestochen sei und die Freunde sie mit einem »leichteren Boot« einholen sollten. Unmittelbar nach dem Abschiedsquintett Nr. 8a, als die Männer gerade ihr Wasserfahrzeug bestiegen haben, beobachtet Fiordiligi wiederum, wie schnell die »barca« den Blicken entschwinde. Hier haben die Autoren kurzfristig Änderungen vorgenommen, die Auswirkungen auf den Text anderer Stellen hatten und die vor der Uraufführung nicht restlos einander angeglichen worden waren.

Augenblick des Gedenkens, einem Haltepunkt in der Flucht der Ereignisse.

Nr. 10 Terzettino »Soave sia il vento«

Hier kann selbst Alfonso nicht mehr Zyniker bleiben und schließt sich erstaunlicherweise den Worten Fiordiligis und Dorabellas an. Wind und Wellen werden gebeten, sanft (»soave«) und der Fahrt der jungen Männer gewogen zu sein – »Wind-Terzett« ist darum der geläufige Name für dieses verzaubernde Stück Musik geworden.

Gedämpfte Violinen säuseln zart in Terzen und bezeichnen das sanfte Wiegen der Wellen, die lang gehaltenen Bläserakkorde symbolisieren den stetigen Wind, der das Boot verlässlich seinem Ziel entgegenleitet, die Stimmen atmen eine fast verklärte Ruhe. Auch wenn das Stück in Wohlklang und Einigkeit schwelgt, weiß doch Alfonso, dass die Reise, um derentwegen hier die Elemente beschworen werden, gar nicht angetreten wird. So ist auch die Bitte zumindest zum Teil nur simuliert. Genau in der Mitte des Terzetts erscheint ein Schlüsselwort: »desir«, »Verlangen«. Was sich hier musikalisch ereignet, ist ebenso beredt wie die wiegenden Wellen: Die schärfsten Dissonanzen finden sich in Mozarts anmutigsten, zartesten Stücken; erst danach wirken Mozarts Melodien so tröstlich und milde. Ähnlich verhält es sich hier. In die Harmonie schleicht sich auf das Wort »desir« ein aus nicht weniger als sieben verschiedenen Tönen zusammengesetzter Klang, so schmerzlich wie süß und fast gläsern zu nennen, der zweimal hintereinander jeweils einen ganzen Takt lang ausgehalten wird. Vermutlich handelt es sich um die schärfste Dissonanz, die Mozart in seinem gesamten Schaffen komponiert hat.

Laut Partitur haben nur die 1. und 2. Violinen mit Dämpfer zu spielen, nicht aber die Bratschen, Celli und Bässe. Das hat Mozart zwar oft so notiert, einfach um Schreibzeit zu sparen; hier aber gibt es in der Bratsche eine ganz eigene melodisch herausgehobene Linie, die er vielleicht wirklich in den Vordergrund holen wollte.

Klassenunterschiede und Identitätenwechsel

Erst jetzt, über eine halbe Stunde nach Beginn der Handlung, erscheint Despina, die sechste Protagonistin des Stücks. Sie schimpft über die viele Arbeit und trinkt etwas von der Frühstücksschokolade, die eigentlich für die beiden Frauen bestimmt ist. Ihr Klassenbewusstsein mündet nicht im Aufbegehren wie bei Figaro. Ihre Stiche gegen die verwöhnten Damen sind nicht mehr als ein Sturm im Wasserglas, eine Revolte im Schokoladentässchen. Ihr Versuch, von den hereintaumelnden Frauen Auskunft zu erlangen, bleibt fürs Erste fruchtlos – Dorabella dreht durch.

Nr. 11 Arie Dorabella »Smanie implacabili«

Dorabella ist zwar wirklich niedergeschmettert, hat aber auch – durch Romanlektüre oder Benimmratgeber – eine Vorstellung davon, was sich zu tun »gehört« und welcher Verzweiflungsgrad ihrer Lage angemessen ist: Man verfällt in hemmungslose Raserei. Nicht zu viel Naivität ist ihr Problem, sondern zu viel Bewusstheit, zu viel Selbstbeobachtung. Die Damen »sprechen Metastasio« (Joachim Herz), vor lauter Zitaten finden sie ihren eigenen Ton nicht mehr. Sie ahmen etwas nach, spielen sich und anderen etwas vor – mit der Intention, dem, was von ihnen erwartet wird, so weit wie möglich zu entsprechen.

Dorabella versucht sich also hier an einer Wahnsinnsarie, an der sie aber scheitert. Es ist für sie eigentlich die falsche, weil seriöse Gattung, die sie durch Übertreibung unglaubwürdig macht. Alle möglichen musikalischen Ingredienzien werden für diese Emotion aufgeboten: treibende Achteltriolen der Violinen, laut dazwischenplatzende Akzente der Bläser und der atemlose Tmesis-Gestus, den Dorabella noch von Alfonsos Arie im Ohr hat. Am Schluss ihrer überstürzten Demonstration von Hysterie geht Dorabella die Luft aus. Sie hat nur noch Kraft für ein paar letzte kurzatmige Seufzer, ihre Musik kommt über den Text (»de'miei sospir«) nicht mehr hinaus.

Für Despina ist das eine Steilvorlage. Sie macht sich über die Frauen lustig und nimmt deren Jammerei Stück für Stück auseinander. Dorabella protestiert. Welche Frau könnte je einen anderen lieben, wenn sie einmal einen Guilelmo geliebt habe – und korrigiert sich gleich: einen Ferrando? Einer ist so gut wie der andere, ist Despinas Replik, denn keiner taugt was.

Nr. 12 Arie Despina »In uomini, in soldati«

Die erste Arie einer Hauptfigur eine Dreiviertelstunde nach der Ouvertüre zu bringen, das ist so fahrlässig spät, dass man sich fragt, ob die Autoren das wirklich für geschickt gehalten haben. Die Antwort heißt Nein – es war anscheinend anders geplant. Eigentlich hätte sich Despina nicht erst mit einer rezitativischen Szene vorstellen, sondern mit ihrem ersten Auftritt sofort eine Cavatina singen sollen. Ein Indiz dafür: Im vorangehenden Rezitativ richtet sie sich auffälligerweise an beide Schwestern, obwohl nur Dorabella sich gerade in Rage gesungen hat. Diese Anrede – »Signora Dorabella! Signora Fiordiligi!« – dürfte eigentlich Despinas Reaktion auf den tumultuösen Auftritt *beider* Frauen gewesen sein – und zwar *nach* ihrer eigenen, in einer Soloszene zu singenden Auftrittsarie. Die an dieser Stelle geplante Cavatina ist für die Uraufführung nicht nur ein Stückchen nach hinten gerückt, sondern vermutlich ganz in den 2. Akt verschoben worden (weil Louise Villeneuve, die ursprünglich als Despina vorgesehen war, nach dem Besetzungstausch ihre Arie *È amore un ladroncello* quasi in ihre neue Rolle Dorabella mitgenommen hat). So brauchten die Autoren ein neues Entrée für Despina, das dann mit dem Rezitativ *Che vita maledetta* gefunden wurde, und mussten bei der nächstbietenden Gelegenheit eine neue oder zumindest adaptierte Arie hinterherschieben; eben dort, wo jetzt *In uomini* ihren Platz hat. Deren erste Zeilen waren von Da Ponte als Rezitativ gedacht, Mozart hat sie zum ersten Teil der Arie gemacht, ein kurzes Allegretto im $^2/_4$-Takt, auf den der Hauptteil im walzerartigen $^3/_8$-Takt folgt. Despina fordert darin, die Frauen sollten den Männern ihre notorische Treulosigkeit mit gleicher Münze zurückzahlen. Liebe diene dem Vergnügen und müsse sich den Bedürfnissen der Menschen unterordnen.

Erst in dieser Szene erfährt das Publikum, was Alfonso vorhat. Der fürchtet derweil, dass die schlaue Despina seinen Plan durchkreuzen könnte, und will sie deswegen auf seine Seite bringen. Geradezu paradox ist bei Alfonsos Abkommen mit Despina, dass er von ihr nichts anderes als »fedeltà« verlangt, also Treue im Sinne von Loyalität – eine Eigenschaft, die er ihrem Geschlecht doch grundsätzlich abspricht.

Nr. 13 Sextett »Alla bella Despinetta«

Das Sextett ist eine musikalisch komplexe Nummer, eigentlich ein aus mehreren sich steigernden Teilen zusammengesetztes vorgezogenes Miniatur-Finale. Der erste Test der Verkleidung steht bevor. Wenn selbst Despina die Männer in ihrer Maskerade nicht erkennt, dürften auch Fiordiligi und Dorabella darauf hereinfallen. Dabei ist zu unterscheiden: Nur die Personen auf der Bühne erkennen die Männer nicht, das Publikum natürlich schon. Das hat nichts mit der Plausibilität der

Handlung zu tun, sondern mit einer theaterpraktischen Verabredung zwischen Schauspieler und Zuschauer. Es geht um das Prinzip, das auf der Bühne nur komprimiert dargestellt wird.

Despina merkt jedenfalls nichts und ist amüsiert über die grotesken Erscheinungen, die ihr wie Türken oder Walachen vorkommen. Die zweite Teststufe folgt sogleich, irgendwie haben die Frauen mitbekommen, dass sich fremde Männer in ihrem Haus befinden, und empören sich schon laut, bevor sie überhaupt den Raum betreten haben. Despina und Alfonso interpretieren dabei die Aufregung anders, als es Ferrando und Guilelmo tun: Während die Männer sich bereits sicher wähnen, ist den Lebenserfahrenen die (noch) unbegründete Raserei der Frauen eher verdächtig.

Nachdem Ferrando und Guilelmo sich wieder gefangen haben, schwingen sie sich zu einem kleinen Madrigal auf, in dem sie den Damen ihre Liebe erklären. Fiordiligi empfindet das als Affront, der sie so aufwühlt, dass sie zu höchsten Tönen greift und Treue bis in den Tod erklärt. Nur: zu wem eigentlich? Einen bestimmten Mann nämlich nennt sie nicht. In einem ausgedehnten Accompagnato-Rezitativ sammelt sie mit scharf punktierten Schlagworten ihre Munition für die folgende Arie.

Nr. 14 Arie Fiordiligi »Come scoglio«

Mit einem Andante maestoso voller schroffer Kontraste beginnt diese pathetische Erklärung weiblicher Tugend, eine Arie, die einer Opera seria entsprungen scheint. Gespannte Rhythmen, strenge dreiklangbasierte Motive, Sprünge aus höchster Höhe in die Tiefe und wieder nach oben, der Text durch lange Gedankenpausen mit Bedeutung beladen: So hebt Fiordiligi einen Felsen (»scoglio«) aufs Podest; er dient ihr im schnellen Teil als Bild für die Treue, die sie und Dorabella verkörpern. (Daher wird diese Nummer auch gerne *Felsenarie* genannt.) Sogar die Trompeten – in der damaligen Orchestertradition sonst fest an die Pauken gekoppelt und für festlich-herrschaftlichen Glanz reserviert – sekundieren der Sängerin bei der Proklamation, mit der sie in aller ihr verfügbaren Wucht die Männer zurück- und zurechtweist.

Mozart hat hier aufgegriffen, was Salieri in der Oper *La cifra* für die Ferrarese komponiert hat. Die Übereinstimmungen sind frappant, etwa die weiten Intervallsprünge und die schnellen Koloraturtriolen. Die besonderen Fähigkeiten der Ferrarese kamen dort wie hier voll zum Tragen – der große Stimmumfang mit der oft hervorgehobenen, volltönenden Tiefe, ihre Kunstfertigkeit in der Koloratur und ein Messa di voce, das lang ausgehaltenen Tönen innere Spannung verlieh. Wie immer, wenn Mozart virtuose Fähigkeiten in seiner Musik verlangt, erfüllen sie einen inhaltlichen Zweck. Schnelles Tempo, große Intervalle, dynamische Gegensätze – sie zeigen an, wie viel Aufwand Fiordiligi für nötig hält, um ihren Standpunkt klarzumachen, wie sie ihre Überzeugungskraft geradezu erzwingen will. Der Unverrückbarkeit des Steines setzt sie die Unveränderlichkeit ihrer Gefühle gleich. An der Textstelle, an der sie diesen Bezug herstellt (»genau so stark wird auch stets dies Herz sein«), beginnt ein neues Thema im Allegro. Mozart, der selten wörtlich aus anderen Werken zitiert, greift hier das Kyrie-Thema seiner *Krönungsmesse* KV 317 auf, Musik, die dort das *Kyrie eleison* zum Klingen bringt: »Herr, erbarme dich!« Fiordiligis Subtext heißt also: Erlöse uns aus dieser quälenden Lage, die uns erst den Schmerz über den Abschied und möglichen Verlust der Geliebten gebracht hat und jetzt noch die Gefährdung unserer Herzen durch diese unerwünschten Besucher. Es ist nicht nur eine Warnung an die Männer, sondern unterbewusst auch schon eine Selbstbeschwörung.

Die Arie entspricht dem Typus der Gleichnisarie und ihre Versstruktur entspricht den Vorbildern von Metastasio, auch ihre punktierten Rhythmen sind sozusagen solche des »vergangenen Jahrhunderts« (Alfonso, 2. Akt). Aber sie ist alles andere als eine Stilkopie. Denn während in der barocken Arie meistens das, was der Sänger sagt, durch die Musik verstärkt wird, fällt das Orchester hier Fiordiligi quasi in den Rücken. Sie behauptet: »So wie der Felsen unbeweglich dasteht, so steht auch meine Treue.« Doch etwa in der Mitte der Arie malt das Orchester in einem Zwischenspiel einen Sturm, der den Felsen so erschüttert, dass er ihn zum Wanken bringt: Drei Fünftonfiguren aus Zweiunddreißigstelnoten stürmen abwärts, der Fels stürzt hinab.

Man könnte diese Stelle auch als Attacke auf die Männer lesen, Notenbündel, die Fiordiligi wie Salven auf die »Verwegnen« abfeuert, doch erweckt die Symbolik so sehr die Assoziation eines Absturzes, dass mindestens ein Doppelsinn zu denken ist. Und dann beginnt Fiordiligi, als wäre nichts geschehen, von vorn, mit einer abgewandelten Wiederholung des Anfangs. Wer Musik auch gestisch hört, wird den Kontrast zwischen textlicher Behauptung und musikalischer Widerlegung deutlich wahrnehmen – nur die Figuren auf der Bühne scheinen nichts davon zu merken. In ihrer Stretta – Più allegro, also noch schneller – wird Fiordiligi an ihrer Forderung nach Respekt vor ihrer »beispielhaften Beständigkeit« fast selbst irre; erst rast sie durch schwindelerregende Triolen-Koloraturen auf dem Wort »speranza« (»Hoffnung«), dann schließt sie sich den Bratschen an, die mit den Klarinetten für einige Takte die tiefste Stimme übernehmen, quasi den Bass simulieren – woraus man ohne Weiteres auch eine Ironie heraushören kann.

Come scoglio ist angelegt als eine sogenannte Abgangsarie, bei der die Sängerin nach dem letzten gesungenen Ton die Bühne verlässt, als effektvoller Schlusspunkt einer Szene. Doch das wird ihr verwehrt, Ferrando hält sie zurück: Von solchem emotionalen Furor kann er nicht genug bekommen. Nachdem Alfonso die Frauen notdürftig beschwichtigt hat, beginnt Guilelmo einen neuen Anlauf und versucht nunmehr eine Liebeserklärung im Alleingang.

Ein Arientausch mit Folgen

Nr. 15 Arie Guilelmo »Non siate ritrosi« und Nr. 15a »Rivolgete a lui lo sguardo«

Der Tonfall ist leicht und verspielt, Andantino das Tempo, Flöte und Fagott gesellen sich solistisch dem Bariton hinzu. Guilelmo balanciert auf einem schmalen Grat. Seine »Werbung«, eher eine Anmache, ist weder real noch als Spiel ernst zu nehmen. Er übertreibt maßlos und offensichtlich, riskiert also, dass die Frauen die Annäherungsversuche der Kavaliere als inszeniert durchschauen und dadurch womöglich die ganze Maskerade enttarnen, und begibt sich damit in Gefahr, das Alfonso gegebene Ehrenwort zu brechen.

Ursprünglich sollte an dieser Stelle die Arie *Rivolgete a lui lo sguardo* stehen, kurz vor der Uraufführung wurde sie jedoch durch *Non siate ritrosi* ersetzt. Lange Zeit ging man davon aus, dass dies die letzte Änderung vor der Premiere gewesen sei – und übersah dabei, dass der Tausch in einem großen Zusammenhang stand und nicht nur Folgen bis in den 2. Akt nach sich zog, sondern aus einem Problem tief im Innern der Handlung resultierte.

Die beiden Stücke zeichnen ein sehr unterschiedliches Bild von Guilelmo. *Non siate ritrosi* hebt, musikalisch leichtgewichtig und spielerisch, von Anfang an auf die körperlichen Vorzüge der Männer ab, Füße, Augen, Nasen, alles sollen die Frauen prüfen, kulminierend im Lobpreis der angeklebten Schnurrbärte als »Triumphe der Männlichkeit«. Weitere maskuline Attribute sind mitzudenken; worauf genau Guilelmo noch nonverbal hinweist, steht nicht in den Noten, aber es reicht aus, dass die Damen die Bühne verlassen. In *Rivolgete a lui lo sguardo* präsentiert sich der akademisch gebildete Kavalier mit einem Übermaß an historisch-kulturellen Referenzen, der Text strotzt nur so vor musischen und mythischen Anspielungen. Diese Analogien zielen zwar auch auf körperliche Merkmale, sind aber in ihrer Gesamtheit ein überquellender Bildungsbeweis: als ob Guilelmo sich als Musterschüler präsentiert, der die Lüsternheit entdeckt hat. Nicht von ungefähr führt Mozart hier die auftrumpfenden Trompeten ins Feld. Es ist ein Text, der deutlich erkennen lässt, dass Da Ponte das Stück für den literarisch besonders beschlagenen Salieri entworfen hat.

Warum Mozart die Arie austauschte – ob es die textliche Nähe zu Salieri war, eine Unausgewogenheit der Partien oder eine zu hohe Lage für den Sänger Benucci –, lässt sich schwer sagen. Ian Woodfield hat eine andere Hypothese vorgeschlagen: *Rivolgete* wurde entfernt, weil die Männer in ihr eine Vorentscheidung treffen, wer von ihnen welche Frau verführen soll. Indem Guilelmo sich ausdrücklich an eine der beiden Frauen wendet und ihr Augenmerk auf seinen Freund lenkt, verleiht er der Intrige eine Richtung, die man nicht mehr ohne Weiteres hätte wechseln können.

Mozart und Da Ponte haben mehrfach überlegt, ob sich im weiteren Verlauf die Paare »parallel« oder »überkreuz« finden sollen. An diesem Punkt der Entwicklung mussten sie zum ersten Mal dazu Stellung beziehen. Nun hätte sich gerade in dieser Arie mit wenig Aufwand auch nachträglich die Kombination verändern lassen, je nachdem, ob Guilelmo zu Fiordiligi oder zu Dorabella spricht, was durch eine einfache Szenenanweisung zu erledigen gewesen wäre, und je nachdem, ob er die angesprochene Frau auf seinen Freund oder sich selbst aufmerksam macht, was von einer einzigen Silbe abhängt: Für »Richten Sie Ihre Augen auf *mich*« hätte nur das Pronomen verändert werden müssen. Tatsächlich hat Mozart dieses entscheidende Wörtchen »lui« in seiner

Partitur erst weggelassen und bis zur letzten Minute gezögert, es nachzutragen – statt »lui« hätte er auch »me« nehmen können. (In seinem eigenhändigen Werkverzeichnis schreibt Mozart tatsächlich »Rivolgete a *me* lo sguardo«!) Aber es sollte eben überhaupt vermieden werden, dass die Männer etwas vorgeben, worauf die Frauen dann reagieren müssten – entweder, indem sie darauf eingehen oder sich bewusst fürs Gegenteil entscheiden. Alles, was auf eine Vorplanung hinweisen könnte, wird in der Schwebe gehalten, bis die Frauen zu Beginn des 2. Aktes ihre »neuen« Liebhaber aussuchen. Denn diese Aktion macht die Sache für die Männer so viel schlimmer, als sie erwartet haben. Für diesen szenischen Wendepunkt mussten Mozart und Da Ponte die *Rivolgete*-Arie opfern. Trotzdem brauchten sie für Francesco Benucci eine »große Nummer«; daraus erwuchs die Arie *Donne mie* im 2. Akt.

Nr. 16 Terzett »E voi ridete?«

Ferrando und Guilelmo verfallen in Gelächter (*Lach-Terzett* ist eine gängige Bezeichnung für diese Nummer), und Alfonso wird nervös, denn Guilelmos Unbeherrschtheit gefährdet seinen Plan. Ferrando und Guilelmo sehen im Abgang der Frauen deren Treue schon halb bewiesen, doch Alfonso schlägt das Angebot, die Wette vorzeitig gegen Zahlung von 24 Zechinen für verloren zu erklären, ungerührt aus. Wie unterschiedlich die beiden jungen Männer denken und fühlen, tritt nun deutlich zutage: Guilelmo hat Hunger und will wissen, ob denn heute gar nicht gespeist werde. Ferrando erwidert, man solle mit dem Essen warten, bis die Wette gewonnen sei; nach geschlagener Schlacht schmecke es noch besser. Ja, mehr noch:

Luftholen und Turbulenzen

Nr. 17 Arie Ferrando »Un'aura amorosa«

Er antwortet, völlig aus heiterem Himmel, in dieser überirdisch schönen Arie: »Ein Herz, das von Liebeshoffnung genährt wird, verlangt nach nichts anderem.« *Un'aura amorosa* ist ein Herzstück der Oper. Ihre äußere Schlichtheit kontrastiert mit dem Vorangegangenen. Die bisherigen Soloarien haben die Handlung angeheizt, brachten Schockmomente, Gefühlsausbrüche und Provokationen. Hier aber wird innegehalten; die Zeit wird nicht nur gedehnt wie beim Abschied, sie bleibt stehen, als Moment der Reflexion vor dem bevorstehenden Tumult des ersten Finales. Schönheit ist bei Mozart nie eindimensional. Die Tonart A-Dur gehört in seiner Musik oft dem traumhaft Seligen, das untergründig gefährdet ist. Bei der Wiederaufnahme des Anfangs von *Un'aura amorosa* ist einer der begleitenden Bläserakkorde durch eine Durchgangsnote angereichert: Das *fis* wird zum *f*, ein Hauch d-Moll schleicht sich in den mild dissonierenden Klang und verleiht der Reprise von Ferrandos Arie noch mehr Tiefe – eine nur scheinbar unscheinbare Trübung der Harmonie.

Irritierend an dieser Liebeserklärung an die Liebe ist der Zeitpunkt. Als Liebeshommage an Dorabella kommt sie reichlich spät, von »Liebeshoffnung« zu sprechen scheint nicht mehr angebracht – drückt sich hier schon ein erster Keim der noch uneingestandenen Zuneigung zu Fiordiligi aus, der Frau, die ihn vor wenigen Augenblicken so tief beeindruckt hat? Alfonso muss sich nach dieser emphatischen Gefühlsäußerung erst wieder sammeln. An die Existenz einer treuen Frau, gar von zweien, glaubt er nach wie vor nicht. Despina wird neuerlich zurate gezogen, und hier senkt sich die Waage der Handlungskompetenz eindeutig ihr zu: Von nun an organisiert sie, nicht Alfonso, die Mechanik der Verführung.

Nr. 18 Finale

Das Finale des 1. Aktes schildert den dritten Angriff auf die Treue der Frauen. Die Methode ist neu – und schlimm. Zwar führt auch dieser Vorstoß nicht direkt zum Erfolg, aber der Schock, den er auslöst, wirkt lange nach.

Im Eingangsduettino herrscht ein einlullender Pastoral-Tonfall vor. Während der Text Trauer trägt, malt die Musik mit ihren gedämpften Streichern und der einschmeichelnden Melodik eine Idylle. Es ist ein seltsamer Moment. Alte Empfindungen werden besungen, die Erinnerung an den Schock des plötzlichen Abschieds, die Verlustängste. Neue Vorahnungen klingen an, die eines heitereren Umgangs mit der Lage. So widersprüchlich beides scheint, hier ist es untrennbar übereinandergelegt. Der Text selbst gibt sich sogar doppeldeutig. Ist mit dem »gewendeten Schicksal« nur die Trennung von den Verlobten gemeint? Oder auch schon die Verpflichtung, sich der ungebetenen Verehrer zu erwehren? Dass ihr Leben von jetzt an eine Qual sein werde, diese Befürchtung wird sich leider bewahrheiten. So ist das Idyll, das gleich aufs Neue angegriffen und zerstört werden soll, bereits auf schwankendem Boden gegründet. Nun aber: abrupter Wechsel zu einem schnellen Allegro, Bläserakzente kündigen Unheil an. Die Harmlosigkeit der Musik vom Anfang erweist sich als Kontrastmittel, um den Umschwung noch dramatischer zu gestalten. Den Todeswunsch auf den Lippen stürzen Ferrando und Guilelmo herein und leeren jeder ein Fläschchen angeblichen Arsenikums. Da von den Frauen kein Entgegenkommen zu erwarten sei, wollten sie lieber sterben.

Schritt für Schritt verlieren die Männer im Spiel ihre moralischen Grundsätze. Unter Vortäuschung eines Selbstmords jemanden zu einem Entgegenkommen zu bewegen, ist wahrlich niederträchtig. Die Intriganten bringen mit ihrer emotionalen Erpressung die beiden Frauen an den Rand des Zusammenbruchs. Das Orchester malt ihr rasendes Herzklopfen. Bevor Alfonso und Despina gemeinsam den Raum verlassen, um einen Arzt zu holen, instruiert Despina noch die Schwestern, »mit mitleidsvollen Händen« die Köpfe der Männer festzuhalten. Fast hundert Takte lang wird geschildert, wie die Frauen unter dem psychischen Druck sich allmählich den Männern annähern, physisch wie emotional. Die Musik moduliert hin und her, anfangs unschlüssig wie die Frauen, und findet keinen tonalen Fixpunkt. In ihrer neuen Situation »schwimmen« sie und merken kaum, was sie sagen (Dorabella rutscht die Bemerkung heraus, es seien doch recht attraktive Gestalten), bis sie schließlich ihre Hände auf die Köpfe der Männer legen und ihren Puls prüfen. (Wer wessen Gesundheitszustand untersucht, ist im Text nicht vermerkt. Als Simulanten scheinen die Männer jedenfalls sehr begabt und können kalten Schweiß und schwachen Herzschlag vortäuschen.) In einem schmerzvollen c-Moll geht dieser Abschnitt doppelter Ungewissheit zu Ende: Die Frauen hoffen auf baldige Hilfe – die Männer bemerken mit zwiespältigen Gefühlen, was ihr übler Trick bei den Frauen angerichtet hat: »Freundlicher und zugänglicher sind die beiden geworden; es wird sich zeigen, ob ihr Mitleid sich schließlich in Liebe verwandelt.«

Dann kommt der Arzt. Ferrando und Guilelmo durchschauen sofort, wer dahintersteckt: Despina. Die Frauen dagegen stehen derart

Mesmer und der Mesmerismus

Wunderheiler oder Scharlatan? Wissenschaftler oder Schaumschläger? Franz Anton Mesmer (1734–1815) ist eine schillernde Erscheinung des späten 18. Jahrhunderts. Er sah sich als Erfinder des Magnetismus. Nach seiner Auffassung unterliegen der Mensch und seine Seele den Gesetzen einer Naturkraft, die erforscht und beeinflusst werden kann. Dieses kosmische »Fluidum«, wie Mesmer es nennt, durchdringe den Organismus; wenn es ins Stocken gerate, könne ein »Magnet die ungleiche Verteilung des Nervenfluids durch seinen gleichförmigen Strom« wieder aufheben, die »Disharmonie« wieder zur Harmonie auflösen – und der Mensch werde gesund. Mit diesen »Magnetkuren« erzielte Mesmer bei manchen Patienten einen erstaunlichen Heilerfolg. Die Mozarts wurden Zeugen davon. Mesmer war nämlich auch Musikliebhaber, in seinem Wiener Haus waren Haydn und Gluck Gäste, und auch die Familie Mozart lernte ihn dort 1768 kennen. Die Therapie der blinden Pianistin Maria Theresia Paradis, mit der Mesmer großes Aufsehen erregte, zeitigte allerdings nur vorübergehende Ergebnisse. Nach immer lauteren Betrugsvorwürfen verließ Mesmer 1778 Wien und ging nach Paris, wo seine Popularität derart zunahm, dass er seine Patienten nur noch gruppenweise behandeln konnte. Damit wuchsen die Zweifel an Mesmers »Wissenschaft«. Mitte der 1780er Jahre war seine Methode zum Gespött geworden, er selbst wurde der Quacksalberei bezichtigt. Mesmer verließ Frankreich und zog sich in seine Heimat am Bodensee zurück. Als einem Ahnherrn der Parapsychologie verblieb ihm eine zweifelhafte Ehre. Und nicht nur in *Così fan tutte*, auch in der englischen Sprache lebt sein Name fort: Mit »mesmerized« bezeichnet man einen Zustand der hypnotischen Faszination.

unter Schock, dass sie die dreiste Parodie für bare Münze nehmen. Für ihre »Behandlung« hat Despina ein Magnetstück mitgebracht. Heute kaum mehr bekannt, war die Magnetismus-Kur nach Dr. Mesmer, mit der Despina die »vergifteten« Verehrer »heilt«, zu Mozarts Zeiten noch in aller Munde. Sie fungiert hier als ein Wendepunkt des Dramas. In der Mitte des ersten Finales verschiebt sich der Fokus von der spielerisch gehandhabten Wette hin zum ernsthaft betriebenen doppelten Treuebruch – und zwar ausgelöst durch ein komödiantisches Element. In der so weitgehend ins Innere der Figuren verlegten Handlung, die auf dramatische Zusammenstöße antagonistischer Figurengruppen verzichtet, stechen Despinas Verkleidungsszenen in den beiden Finali als äußerlich bewegteste, turbulenteste Passagen des Werkes heraus.

Despina »berührt mit einem Magnet den Kopf der sich krank Stellenden und streicht mit ihm sacht den Körper entlang«. Das »Mesmersche Eisen« führt zu heftigen Konvulsionen. Zu zwei Vierfachtrillern der Holzbläser schütteln sich die Männer, winden sich und schlagen mit Armen und Beinen aus; Anlass für Despina, die Frauen neuerlich zu physischem Kontakt anzuhalten: Sie sollen ihnen die Köpfe halten. Die Männer zappeln weiter. Mehrfach wiederholt Despina als Doktor zu kräftigen Akzenten ihre Aufforderung, die Köpfe wirklich festzuhalten; die Musik bleibt in erregter Bewegung, die Tremolofiguren der Streicher und ein Auf und Ab der Lautstärke kommen erst nach einem Dutzend Takten zur Ruhe. Die Kranken scheinen gerettet.

Die Frauen merken nichts vom Mummenschanz. Wie aus einer Ohnmacht erwacht, taumeln die Männer benebelt umher und fantasieren von Paradies und griechischen Göttinnen. Dann nehmen sich die Herren aber zu viel heraus: Sie verlangen einen Kuss! Ein Kuss, wie er hier verstanden wird, kann im zwischenmenschlichen Verhaltenskodex der

Steckbrief: Don Alfonso

Don Alfonso wird im Personenverzeichnis »alter Philosoph« genannt. Das »alt« ist dabei im doppelten Sinne zu verstehen: Es bezieht sich auf Alfonsos Lebenserfahrung – und auf seine Philosophie. Wie alle Figuren der Oper hat Alfonso keine Vorgeschichte, keine Biografie. Er muss wohl weit herumgekommen sein, um glaubwürdig vorgeben zu können, dass solch exotische Gestalten wie die beiden Albaner seine besten Freunde seien. Natürlich ist er klassisch gebildet, flicht literarische Zitate und lateinische Floskeln in seine Konversation ein. Aber aus diesen dürren Indizien lässt sich kein Leben rekonstruieren. Alfonso tritt auf als Wissenschaftler, Empiriker, Agnostiker, kurz als Aufklärer. Er schwört nicht beim Himmel (als etwas Irrationalem), sondern bei der Erde (als etwas Greif- und Beweisbarem). Er duelliert sich nicht um die Ehre, sondern nur »bei Tisch« (sei es im argumentativen Austausch oder ganz handfest ums Essen). Das ist gewiss sehr vernünftig – aber mit den Illusionen hat Alfonso auch die Ideale verworfen. Dass der Mensch auch eine Seele hat, die man beschützen muss, hält ihn nicht ab von seinem Schnellkurs in Liebesdingen, dessen Ergebnis statt Erleuchtung nur Enttäuschung sein kann. Und die Aufklärung wiederum – seine »Philosophie« –, sie ist längst nicht mehr der *dernier cri*, sondern selber schon passé, verknöchert. Alfonsos Verhalten ist Symptom davon. Die Auswüchse einer radikal materiellen Weltsicht stehen der Welt vor Augen, die Exzesse der Französischen Revolution werfen ihre Schatten voraus. So wie man Don Giovanni als einen älter gewordenen, entfesselten Cherubino aus *Le nozze di Figaro* interpretiert hat, ist in *Così fan tutte* aus dem Verführer Don Giovanni der gealterte, verbitterte Alfonso geworden, der am Eros keine Freude mehr hat, nur noch zerstörerischen Gebrauch davon machen kann. *Figaro, Giovanni, Così:* Sie bezeichnen gewissermaßen eine Skala, die von Idealen über Lust zu Leere führt.

Moment sein, nach dem es kein Zurück mehr gibt. Deswegen reagieren die Frauen so hysterisch auf diese Zumutung. Auf die entrückte Traumwandlerei-Simulation der Männer antworten sie mit sehr ernst gemeinten, aber völlig überdrehten Gesangspassagen, aus deren chromatischen Durchgangsnoten man ziemliche Verwirrung heraushören kann. In diesem abschließenden musikalischen Chaos wird einerseits klar, dass jetzt noch keine Entscheidung fallen wird, die Tendenz allerdings zeigt deutlich in eine Richtung: »Ich weiß sehr wohl, dass so ein Feuer sich in Liebesglut verwandelt«, meinen Despina und Alfonso, aber auch Ferrando und Guilelmo beginnen zu zweifeln: »Ich möchte nicht, dass so ein Feuer sich in Liebesglut verwandelt.«

Noch mal von vorn

Nr. 19 Arie Despina »Una donna a quindici anni«

2. Akt. Man hat sich ein wenig beruhigt. Despina sitzt mit den beiden Frauen zusammen und versucht aufs Neue, sie zum Flirten zu animieren; dabei erweist sie sich in Argumentation und Wortwahl als weibliches Gegenstück zu Alfonso: Wir sind auf der Erde, nicht im Himmel. Also verhaltet euch entsprechend und handelt militärisch: rekrutiert! Sie predigt den Frauen, die Liebe als Spiel zu sehen und die Verehrer, die da sind, denjenigen vorzuziehen, die weit weg sind.

Despina steht in der Tradition der Dienstmädchen-Rolle, die ihre Wurzeln in der Commedia dell'arte hat. Das gilt auch für diese Arie, eine Art »Kolleg über die Kunst der Verführung« (Ludwig Finscher). Typisch dafür ist die Verbindung von kurzer, langsamer Einleitung mit einem Allegretto im $^6/_8$-Takt, dessen Ähnlichkeit zum Walzer und zur österreichischen Volksmusik (mit Drehleier und Dudelsack) auffällt. Einen kleinen Stolperstein hat Mozart ebenfalls eingebaut: 13 Takte vor Schluss hat die Arie mit einer Crescendo-Steigerung ein Ende gefunden, das keines ist. Nach diesem Schein-Schluss folgt eine Fermatenpause, in die – je nach Aufführung – auch schon Applaus hineintönen kann, bevor das Orchester, schelmisch im Piano, das Hauptmotiv des schnellen Teils wieder in den Raum stellt und Despina in diesem neckischen Tonfall nun wirklich die Arie zu ihrem Ende führt.

Nr. 20 Duett »Prenderò quel brunettino«

Die Schwestern teilen die Beute auf. Dorabella will sich mit dem »Brünetten« vergnügen, Fiordiligi mit dem »Blonden« Zeit verbringen. Dorabella sucht Unterhaltung, Fiordiligi sehnt sich anscheinend mehr nach Romantik: Erstere singt in extravertierten Schnörkeln, letztere bevorzugt schmachtende Seufzermotive.

In diesem Duett wird also die neue Paarung zum ersten Mal ausgesprochen: Es ist der Moment, der im 1. Akt so sorgsam hinausgezögert wurde. Mühevoll haben die Autoren vermieden, dass die Männer diese Entscheidung treffen oder auch nur beeinflussen. Mit Beginn des 2. Aktes ist die Bahn frei für die Frauen; sie bestimmen, mit wel-

Mozart am Klavier, gemalt von seinem Schwager Joseph Lange, etwa zu Beginn der Arbeit an »Così fan tutte« im Frühjahr 1789 (früher, wohl fälschlich, auf Winter 1782/83 datiert).

Ludwig Sieverts geniales Bühnenbild für Lothar Wallersteins Frankfurter Inszenierung von 1928: Die Schwestern im fragilen Gleichgewicht einer Baumwippe. ▪ »Der Ausbruch des Vesuv«. Ölbild von Philipp Hackert, 1774.

Der alte Intrigant triumphiert, doch die Einigkeit hat keinen Bestand, die Gruppe löst sich gleich danach auf: Finale von Jean-Pierre Ponnelles Filmversion (1988). ▪ Großer Bahnhof der Verführung in Michael Hampes (später noch weit gereister) Salzburger Interpretation von 1982.

In äußerer Jugendlichkeit erstarrt: Skeptisch blickt Despina auf die beiden Paare (Peter Sellars, 1980). ▪ Bei Hans Neuenfels (Salzburg 2000) hält Fiordiligi zwei junge Männer (in Hundemasken kaum zu unterscheiden) an der Leine, während sie ihre Treue, zu wem auch immer, proklamiert.

Rap und Rezitative in dem »Hip H'Opera« genannten Projekt der Komischen Oper Berlin. ▪ Männer machen's auch nicht viel anders – eine Adaption unter veränderten Vorzeichen an der Neuköllner Oper (Regie: Robert Lehmeier, 2003).

»Rauchen verboten«: Im Hinterhof eines Kleinstadttheaters spielt sich die Affäre ab, in Aix-en-Provence wird das Backstage zur eigentlichen Bühne (Patrice Chéreau, 2005). ▪ Ungläubiges Erschrecken über sich selbst: die Kraft der Reduktion in Christof Loys Frankfurter Inszenierung (2008).

Heizspiralen des Gefühlskochfeldes zeigen im Spiegel den Erregungszustand der Protagonisten (hier Guilelmo und Dorabella) an (Peter Konwitschny, 2005). ▪ Das Kabinett des Dr. Alfonso: Wie ein Naturforscher vermeint der »Alte Philosoph« in Sven-Eric Bechtolfs Inszenierung die Seele zu sezieren.

Anett Fritsch (Fiordiligi), Juan Francisco Gatell (Ferrando) und William Shimell (Don Alfonso, stehend) in Michael Hanekes zweiter Operninszenierung überhaupt, Madrid 2013.

Steckbrief: Fiordiligi

Der Name Fiordiligi stammt aus dem Französischen, wo er so viel wie Lilienblüte heißt: Fleur-de-lis (gigli = Lilien). Da Ponte hat ihn bei Ariost gefunden, der – Zufall? – in der norditalienischen Universitätsstadt Ferrara lebte und wirkte. Die Fiordiligi der Oper stammt nämlich ebenfalls aus Ferrara. Wie und warum sie und ihre Schwester aus der Emilia-Romagna nach Kampanien kamen, ob auf Dauer oder vorübergehend, wird nicht erzählt; immerhin war es eine enorme Entfernung von ihrer Heimat und bedeutete damals einen Wechsel unter eine andere Herrschaft: Ferrara war Teil des Kirchenstaats, Neapel gehörte zum Herrschaftsgebiet der Bourbonen. Auch wann der Umzug stattfand, bleibt unklar – allzu lang kann er wohl nicht her sein, denn sonst würden sie nicht weiterhin als »Ferrareser Damen« bezeichnet werden. Anscheinend leben die Schwestern allein mit ihrer Dienerschaft in ihrem Haus am Meer und müssen sich über Einkünfte keine Gedanken machen. Solche Sorgen des täglichen Lebens spielen für die Handlung keine Rolle. Alles ist um die Figuren herum konstruiert, damit die Bühne im Wortsinne frei ist für sie und den Konflikt.

Fiordiligi und ihre Schwester sind an dem Punkt, an dem das Verlangen nach etwas Neuem durchbricht. Die Autoren machen – innerhalb der Grenzen des zeitüblich Zulässigen – deutlich, worum es dabei geht: Ein gewisses Feuer, ein Kitzeln spürt Fiordiligi in ihren Adern. Im Verlauf der Handlung zeigt sich Fiordiligi in ihren Reaktionen auf die Geschehnisse zwar langsamer als ihre Schwester, aber intensiver. Für sie kann die Liebe nicht Spiel bleiben. Sie flirtet nicht – sie verliebt sich.

chem Mann sie anbandeln. Damit dürfte klar sein: Diese Kombination ist eine andere, als sich die Männer vorgestellt haben.

Im Übrigen wird in diesem Duett auch jeglicher Realismus der Handlung ausgehebelt. Denn Liebe ist doch als exklusive Zuneigung aufzufassen. Wer liebt, liebt eine bestimmte, eine einzige Person. Da die »Albaneser« sich als verliebt gezeigt haben, müssten die Frauen davon ausgehen, dass jeder der beiden sich in eine von ihnen verliebt hat – und nicht, dass die Männer nur so ganz im Allgemeinen zu einer Liebschaft disponiert sind. Doch Fiordiligi und Dorabella suchen sich einfach den ihnen genehmen Liebhaber aus. Das widerspricht aller Lebenswirklichkeit und müsste selbst den unerfahrenen Frauen eigentlich unmöglich erscheinen.

Vorbereitung zum Absturz

Nr. 21 Duett mit Chor »Secondate, aurette amiche«

Alfonso lädt sogleich in den Garten ein, wo die Männer ein festliches Ständchen organisiert haben. Zum zweiten Mal nach dem Terzettino wird der Wind angerufen; jetzt soll er die Seufzer der Männer den angebeteten Frauen entgegenwehen. Der von Ferrando und Guilelmo zur Schau gestellte Aufwand reicht bis zu einem Ensemble von Musikern und Sängern. Es werden in dieser Nummer ausschließlich Blasinstru-

Steckbrief: Ferrando

Über die Herkunft der beiden jungen Männer schweigt sich der Librettotext noch mehr aus als über die der Schwestern; sie seien deren »Liebhaber«, mehr gibt das Personenverzeichnis nicht her. Nicht einmal ihr Beruf wird dort erwähnt. Dabei ist der für die Konstruktion der Handlung nicht unwesentlich: Sie sind nämlich Soldaten. Das ermöglicht einerseits den überstürzten Abschied durch den fingierten Einberufungsbefehl – und liefert andererseits die Begründung dafür, dass beide Männer bis zum bitteren Ende den Anweisungen Alfonsos sklavisch folgen. Denn schließlich haben sie ihm ihr Wort gegeben, und damit steht ihre »Soldatenehre« auf dem Spiel. Die ist ihnen offenbar wichtiger als der Wettverlust und die damit verbundenen Verletzungen ihrer Gefühle. Der Degen, den sie tragen, weist sie überdies als adlig aus. (Ebenso wenig wie die Vermögensverhältnisse der Frauen steht die Frage nach dem Militärischen im Zentrum: Ist die Verblendung der beiden jungen Männer eine typische Eigenschaft für Soldaten? Haben wir es mit einer versteckten Militarismuskritik zu tun? So reizvoll das wäre – das Stück dreht sich um anderes. Der Beruf der Männer scheint einfach ein praktisches Vehikel für die Intrige.)

Dorabella schwärmt von Ferrandos blitzenden Augen und seinem Antlitz, das zugleich »verführt und bedroht« (immerhin steckt in seinem Namen der Stamm »ferro«, Eisen!). Zumindest in seiner Rolle als Albaneser ist er blond – und da die Verkleidung Despinas Beschreibung zufolge vorwiegend aus fremdartigen Kostümen und angeklebten Schnurrbärten besteht, von Perücken aber nicht die Rede ist, dürfte das auch seine natürliche Haarfarbe sein. Ferrando ist der reflektiertere der beiden Freunde. Er denkt an Musik, während Guilelmo ein Menü imaginiert; nachdem dieser gerade die Damen mit derben Anspielungen verjagt hat, beschwört Ferrando das erfüllende Glück der Liebe.

mente eingesetzt, die es ermöglichen, die Gesangsbegleitung auch als Bühnenmusik auszuführen. – Die Reise soll – das suggeriert die aufwendige Ausstattung des Schäferstündchens – aufs sagenhafte Kythera, ins antike Liebesparadies führen. Die Pracht der Dekoration macht Eindruck auf die jungen Leute. Keiner der vier bringt einen sinnvollen Satz heraus. Schon fast verärgert über solche »Ziereien des vorigen Jahrhunderts« übernimmt Alfonso die Regie.

Nr. 22 Quartett »La mano a me date«

Dieses kleine Ensemble hat seine Wurzeln in einer Arie für Alfonso, die Mozart dann umgearbeitet hat. Erst spricht Alfonso stellvertretend für die Männer, die wie dressiert einzelne Wörter wiederholen, dann antwortet Despina im Sinne der Frauen. Beider Absichten, Alfonsos und Despinas, sind an diesem Punkt auch musikalisch ununterscheidbar; mit dem 6/8-Takt und dem Charakter der Musik hat sich Alfonso Despina angenähert, und Despina kommt einem abgewandelten Zitat des »Così fan tutte«-Motivs erstaunlich nahe. In der diabolischen Presto-Stretta können die beiden Intriganten es kaum erwarten, den Erfolg ihrer Kuppelei zu erleben.

Nur mühsam kommt die unbeholfene Konversation in Gang. Doch dann, ohne Vorwarnung, lädt Fiordiligi Ferrando zum Spaziergang ein. Der ganze Plan der beiden Männer fällt zusammen wie ein Kartenhaus: Statt der eigenen Verlobten muss die des Freundes unterhalten werden. Nun wird die Sache prekär. Dorabella zieht Guilelmo in die andere Richtung, auch er muss folgen. Sein gespielter Schwächeanfall ist zwar schnell durchschaut. Aber es braucht nur wenige Floskeln, und schon gibt Dorabella zu erkennen, dass sie für einen zärtlicheren Austausch bereit ist. Er will ihr daraufhin ein kleines Schmuckstück schenken, ein Herz, von dem Dorabella schwer beeindruckt ist; man kann das als Nachhall der literarischen Quellen verstehen, in denen die auf die Probe gestellte Ehefrau nur durch Juwelen zu erweichen war. So hat Guilelmo im Handumdrehen gewonnen – und gleichzeitig halb verloren. Aber das verdrängt er einstweilen.

Nr. 23 Duett »Il core vi dono«

Die Frauen haben zwei Duette miteinander, ebenso die Männer, aber jede der Figuren nur je eines mit einer Person des anderen Geschlechts – und das mit den »falschen«, den neuen Liebhabern. Ehe man daraus ableitet, dass die Autoren so zeigen wollten, diese »falschen« wären eigentlich die »richtigen« Paare, sollte man sich klarmachen, dass sie gar keine andere Möglichkeit hatten: Der Moment der Verführung muss gezeigt werden, anders gibt das Stück keinen Sinn, für eine ausufernde Darstellung der »alten« Paarbeziehungen würde die Zeit nicht reichen. Und trotzdem erzählen die beiden Duette mehr über die innere Verfassung der Männer, als die Bühnenfiguren beabsichtigt haben können – und sie erzählen, wie verschieden es beiden dabei ergeht.

In der Musik ihres Zwiegesprächs geraten Dorabella und Guilelmo auffallend häufig ins Stocken: Immer wieder unterbrechen Pausen den Fluss. Was sie einander sagen, verschwimmt zwischen Wortspiel und Anzüglichkeit: Guilelmo fordert für das Herz, das er ihr als Amulett geschenkt hat, Dorabellas Herz im übertragenen Sinne, hört es schon klopfen, so wie sie das seine schlagen fühlt: So nahe sind sie sich gekommen. Es gelingt Guilelmo, heimlich von Dorabellas Seite das Medaillon mit dem Porträt Ferrandos zu entfernen und es durch sein Juwel zu ersetzen. Währenddessen merkt sie, wie es ihr im Busen glüht, ein Feuer, so heiß wie der Vesuv (den hat Dorabella quasi vor Augen, man ist ja im Freien). Als sie merkt, welche Fakten Guilelmo geschaffen hat, stimmt sie in seine Freude ein: »Was für ein glücklicher Tausch«! Und dann schwelgen beide in »neuem Entzücken«, in »süßem Schmerz«. Meint Guilelmo das ernst? Wird er übermannt von der Sinnlichkeit, die ihm entgegenschlägt? (Kurz danach ist er ja nur noch daran interessiert, wie sich »seine« Fiordiligi geschlagen hat.)

Szenenwechsel zu Fiordiligi und Ferrando. Deren Konversation hat eine andere Wendung genommen. Sie beschimpft ihn als Ungeheuer, woraus Ferrando schließt, dass sie Angst vor seiner Nähe hat, die ihr gefährlich werden könnte. Sie widerspricht nicht, als er sagt, dass er sie glücklich machen könnte; den Blick, den er erfleht, gewährt sie ihm seufzend und schickt ihn im selben Moment fort. Ferrando aber bleibt. Ob er die Signale richtig deutet?

Nr. 24 Arie Ferrando »Ah lo veggio, quell'anima bella«

Äußerst fröhlich singt Ferrando nun von seiner Zuversicht, erhört zu werden (und in einer für den Sänger unangenehm hohen Lage, derentwegen – und wegen der Länge der Oper – diese Arie häufig gestrichen wird). Die aufgesetzte Allegretto-Munterkeit in B-Dur, mit der Fiordiligi auf fast aufdringliche Weise beschallt wird, bleibt aber ohne Wirkung. Zweimal trägt Ferrando ihr hochvirtuos in Achtelnoten seine überschwängliche Freude vor und steuert sein Lied dann, nachdem Fiordiligi nicht auf seine Fröhlichkeit eingeht, mit einer kleinen harmonischen Rückung in die Gegenrichtung. Da sie unbarmherzig schweige, müsse er alle Hoffnung aufgeben. Ferrandos eitler Gewissheit über seine Chancen bei Fiordiligi folgt zwar die Einsicht, dass sie wohl doch nicht so widerstandsarm sei; Fagott und Bratschen grummeln dazu, als wären sie persönlich betroffen. Doch da ist Ferrando schon wieder in B-Dur gelandet, und das Orchesternachspiel zu seinem Abgang klingt kaum weniger ausgelassen als der Anfang. So war die Freude über die scheinbar gelingende Verführung im ersten Teil nur gespielt – und es überwiegt die Erleichterung, mit dem Fehlschlag die Treue Fiordiligis bewiesen zu haben. Statt allerdings ihre Standhaftigkeit ernsthaft zu prüfen, bricht er seinen Versuch sicherheitshalber lieber ab.

Fiordiligi ist erleichtert, denn sie fühlte sich dem Treuebruch näher, als Ferrando ahnte. Wie im 1. Akt greift sie zu großen Begriffen, diesmal in Selbstbeschuldigung: Wahnsinn, Gewissensbisse, Reue, Leichtsinn, Heimtücke und Verrat. Auch dieses Rezitativ ist wie schon das vorangegangene, Ferrandos Arie vorbereitende ein Accompagnato-

Ein weitverbreitetes Missverständnis

Alfonso bespricht die Einzelheiten seines Plans hinter der Bühne. So konnte das *Ergebnis* der Wette vielfach auch als ihr *Ziel* interpretiert werden: die Verführung der Verlobten des Freundes. Das aber ist falsch. An keiner Stelle des Librettos lässt sich erschließen, dass dies Ferrandos und Guilelmos Plan wäre, geschweige denn, dass Alfonso sogar eine entsprechende explizite Anweisung gegeben hätte. Nein – Alfonso dürfte vielmehr vorgeschlagen haben, dass Ferrando und Guilelmo in Verkleidung die eigene Freundin verführen sollen. Auf dieses Risiko hätten sie sich ganz beruhigt einlassen können: Blieben die Frauen standhaft, wäre ihre ewige Treue bewiesen und ein Vermögen verdient; gingen die Frauen auf die Werbung ein, hätte Alfonso zwar die Wette gewonnen, aber die Treue wäre quasi nur virtuell gebrochen worden – es wären ja die Verlobten selbst, die sich miteinander vergnügt hätten, auch wenn die eine Seite davon ausgegangen wäre, einen Seitensprung zu begehen. Die Position der Männer wäre in jedem Falle makellos: Sie wussten, dass es ihre eigenen Freundinnen sind, mit denen sie sich einlassen. Nicht aber in der von den Frauen durchgesetzten neuen Kopplung: Von hier an wird es für die Männer genauso ernst.

Rezitativ. Von der Nr. 23 durchgehend bis zu Nr. 25 ergibt sich eine orchesterbegleitete Sequenz von einer sonst nur in den Akt-Finali erreichten Länge.

Nr. 25 Rondò Fiordiligi »Per pietà, ben mio, perdona«

In diesem großen Monolog ruft Fiordiligi ihren abwesenden Geliebten um Verzeihung für all diese Vergehen an. Die Arie beginnt im Adagio, eine absolute Ausnahme bei Mozart, und sie steht in E-Dur – eine von Mozart extrem selten gewählte Tonart, die wie das verwandte A-Dur in dieser Oper für eher wahrhafte Gefühle eingesetzt wird; E-Dur bezeichnet zusätzlich emotionale Ausnahmesituationen, in denen die Treue in Frage gestellt wird, so wie im zweiten der kleinen Terzette ganz am Anfang oder im Wind-Terzett. Manche b-Tonarten stehen demgegenüber für Szenen der Verstellung oder Parodie. Allerdings sind die Grenzen von wahr und falsch fließend, und wenn Fiordiligi hier vom »Irrtum einer liebenden Seele« spricht, ist sogar ihr die Doppeldeutigkeit bewusst – denn wen sie liebt, weiß sie selbst nicht mehr.

In *Come scoglio* hatte sie noch mit Trompetenkraft auf ihrer Treue insistiert. Davon kann nun keine Rede mehr sein. Stattdessen kommen ihr die wärmer und weicher klingenden Waldhörner zu Hilfe. Sie verkörpern die Sehnsucht nach vertrauten Verhältnissen, nach Einklang mit der Natur; in ihnen erklingt der Wunsch nach verlässlicher Beständigkeit, den Fiordiligi selbst schon nicht mehr erfüllen kann. Womöglich sind die Hörner aber auch eine Anspielung auf den »gehörnten« Guilelmo, dem Fiordiligi zumindest in Gedanken schon untreu geworden ist? Den Ausdruck gibt es auch im Italienischen (»cornificare«), doch man

Hörnerrufe in die Zukunft: Fiordiligis große Nachfahrin

Ludwig van Beethoven hat die große Arie der Protagonistin seiner einzigen Oper *Fidelio* ganz offensichtlich nach Fiordiligis Rondò aus *Così fan tutte* modelliert – einer Oper, die er gar nicht leiden konnte. Die Arie aus Leonores großer Szene, die mit dem Ausruf »Abscheulicher!« beginnt, trägt tatsächlich den Stempel Fiordiligis: Mit den Worten »Komm Hoffnung, lass den letzten Stern der Liebe nicht erbleichen« fängt ihr erster Teil an, der zweite mit dem ekstatisch begeisterten Entschluss »Ich folg dem innern Triebe«. Die Übereinstimmungen umfassen nicht nur die Tonart E-Dur und die Mischung aus zweiteiliger Großform mit Rondo-Elementen. Vor allem die Instrumentation mit den obligaten, solistisch und in ihrer Virtuosität bis an die Grenze des Spielbaren geführten Hörnern im Orchester fällt ins Ohr. Sogar die szenische Situation der Sängerin zeigt Parallelen zwischen den Opern. Zwar ist die Bedrohung, die Leonore fürchtet, eine andere als die Fiordiligis, aber beide fühlen sich in ihrer Existenz gefährdet – ob die eine nun gegen Unrecht und Willkürjustiz aufbegehrt und damit ihr Leben für die Befreiung ihres Mannes aufs Spiel setzt oder die andere ihre Treue für den (einst) geliebten Verlobten bewahren und dabei das retten will, was sie für den Kern ihres Daseins hält. Beethoven hat allerdings ausschließlich Ernst und Aufrichtigkeit aus Fiordiligis Arie herausgehört – für ihren Doppelsinn und ihre Abgründigkeit hatte er hingegen kein Sensorium.

sollte vorsichtig sein, aus der Ähnlichkeit der Bezeichnung auf eine gleiche Bedeutung zu schließen. Hörner waren zu Mozarts Zeit, also vor Erfindung der Ventilhörner, sehr empfindliche Musikinstrumente. Schnelle Notenwechsel bedeuteten selbst bei enormer Virtuosität der Musiker ein hohes Risiko. Bei solch exponierten und schwierigen Passagen wie in dieser Arie balancierten die Interpreten quasi am Abgrund. Eine frivole Doppeldeutigkeit passt dazu nicht recht.

Das Ideal von einem geliebten Partner, das Fiordiligi in dieser Arie zeichnet, ist schon denkbar weit entfernt von jenem Guilelmo, der sich mit Modeschmuck das Herz (oder den Busen) einer bereitwilligen Frau zugänglich macht. Ihr musikalisches Feuerwerk aus Riesensprüngen, Trillern, Koloraturen und Sechzehntelskalen liefe geradezu ins Leere – wüsste man nicht, wie sehr sie mit sich ringt, weil sich ihre Gefühle auf einen anderen zu übertragen drohen.

Schuld und Sühne

Ferrando und Guilelmo tauschen sich über den Stand der Dinge aus. Dabei zeigt sich, dass Guilelmo ein guter Schauspieler sein muss. Die Gefühle, die er im Duett mit Dorabella gezeigt hat, scheinen vergessen, er gibt sich von dieser Liebesszene unbeeindruckt und interessiert sich nur dafür, wie sich seine Fiordiligi geschlagen hat. Ist es wirklich so?

Ferrando selbst hat nur Erfreuliches zu berichten. Man sei erst umherspaziert, habe über Unverfängliches parliert, schließlich auch von der Liebe gesprochen; sie habe ihn erst ausgelacht, dann Mitleid gezeigt, letztlich aber sei »die Bombe geplatzt«: Rein wie die Taube habe sie sich erwiesen, ihn beschimpft und sei dann geflüchtet. Der Zuschauer darf sich wundern: Diese Erzählung beschreibt etwas ganz anderes, als was man vor wenigen Minuten noch mitangesehen hat! Ferrando malt hier mit kräftigen Pinselstrichen, was Guilelmo und ihm genehm ist. Dass Fiordiligi ihn durch Seufzen eher ermuntert hat, verschweigt er lieber. Auch dies wieder eine Ungereimtheit, die auf Umstellungen in letzter Minute zurückzuführen ist.

Nun muss Guilelmo Farbe bekennen, versucht Ferrando mit Allgemeinplätzen auf das Ungemach vorzubereiten und zeigt ihm endlich das Bildnis Ferrandos, das er Dorabella abgeluchst hat. Hier setzt in einem dramatischen Tremolo-Effekt das Orchester ein, und zwar mit der ausdrücklichen Vorschrift »senza tempo«, um dem Tenor Zeit für den Schockmoment zu geben. Für Ferrando bricht eine Welt zusammen. Guilelmo kann ihn nur schwer davon abhalten, sich sofort an Dorabella zu rächen, und verleumdet sie sogar noch zu diesem Zweck. Das Verhältnis zwischen den Männern gerät an einen kritischen Punkt. Ging bisher alles parallel vonstatten, ist die Symmetrie nun verloren. Jetzt vergessen sie fast, dass sie eigentlich gemeinsam gegen Alfonso streiten und finden sich in Konkurrenz zueinander. Guilelmo rettet sich verlegen in eine wohlfeile »Weisheit«, die er Alfonso abgelauscht hat.

Nr. 26 Arie Guilelmo »Donne mie, la fate a tanti«

Statt seinen Freund in den Arm zu nehmen, wendet sich Guilelmo an die Frauen – mit heftigen Vorwürfen: Immer habe er sie verteidigt, aber nun sei es zu viel, sie verdienten es einfach nicht. Sein befremdliches Verhalten ist eine Übersprungshandlung. Das, was er tun müsste, Ferrando einen »consiglio«, einen guten Rat geben, kann er nicht, weil er

Steckbrief: Dorabella

Auch Dorabellas Name hat seine Herkunft in Ariosts Drama: Er ist eine Zusammenziehung der im 28. Gesang auftretenden Damen Doralice und Isabella. Der Altersunterschied zwischen Dorabella und ihrer Schwester wird nicht spezifiziert; die impulsivere Natur Dorabellas legt nahe, dass sie die jüngere der beiden ist. Schnell aufflammend, schlägt ihre Laune rascher in Extreme aus als die der eher abwartenden, vorsichtigeren Fiordiligi. So gerät sie früher in Wut, als sich die neuen Verehrer aufdrängen, geht dann aber auch als Erste darauf ein, mit ihnen anzubandeln, und gibt viel schneller dem Liebeswerben nach als ihre Schwester. Sie zeigt sogar eine Lust an der Frivolität: Als sie ihre Schwester fragt, wie sie denn die beiden »Albaneser« unter sich aufteilen sollen, hat sie längst den brünetten Kavalier zu ihrem Favoriten gemacht, »weil der mir lustiger erscheint«.

selbst die Ursache von dessen Leiden ist. Die Figur Guilelmo ist damit überfordert. Dieser psychologisch bestechende Zug ist quasi auf einem Umweg in die Partitur geraten; der Text dieser Arie war nämlich einmal für Alfonso bestimmt gewesen. Aufgrund des durch inhaltliche Erwägungen veranlassten Ersatzes der *Rivolgete*-Arie (die für Francesco Benucci das große »Show-Stück« gewesen wäre) durch die arg kurze Nummer *Non siate ritrosi* brauchte man eine neue große Guilelmo-Arie für den 2. Akt. Benucci war schließlich der Trumpf der Sängerbesetzung und hatte als Figaro mit *Non più andrai* einen Hit gelandet, der auf allen Straßen Wiens gepfiffen und gesungen wurde.

In ihrer Eile griffen Da Ponte und Mozart auf einen Arientext zurück, den sie anfänglich für Don Alfonso vorgesehen hatten: eben den zu *Donne mie*. Damit erklärt sich, warum Guilelmo hier einen Text singt, der viel besser zu Alfonso passt. Mozart komponierte die Worte im Stil von Figaros *Non più andrai* ganz neu: als Arie, die sich nicht so sehr an die Mitspieler auf die Bühne richtet, sondern großenteils ins Publikum zu singen ist. Solch ein augenzwinkernder Perspektivenwechsel lag Benucci. Sogar noch während der Vertonung erweiterte Mozart die Arie – sicherlich auf Wunsch des Sängers. So wurde *Donne mie* doch noch zu einem Gegenstück zu Benuccis *Figaro*-Erfolgsnummer.

Nr. 27 Cavatina Ferrando »Tradito, schernito«

Im dramatischen Accompagnato-Rezitativ voller forte-piano-Kontraste drückt sich der Widerstreit von Ferrandos Empfindungen aus. Innerlich zerrissen zeigt er sich auch in der Cavatina. Er ist einerseits unendlich getroffen von Dorabellas Betrug, andererseits fühlt er sich durch seine immer noch vorhandene Liebe zu ihr verbunden. Dementsprechend konkurrieren zwei gegensätzliche Themenkomplexe miteinander: Der erste (»Verraten, verspottet«) reflektiert den Betrug durch ein durchtriebenes Herz – in c-Moll, in abgehackten Phrasen, die durch lange Pausen voneinander getrennt sind (als müsse Ferrando Luft holen, könne es nicht fassen, was er gerade ausspricht), mit chromatischen Reibungen, fast in einem Schmerzensschrei endend. Der zweite in der Paralleltonart Es-Dur, von weichen, lang ausschwingenden Melodiebögen geprägt, einschmeichelnd diatonisch. Das erste Thema kommt ein zweites Mal, das zweite folgt wieder, diesmal aber in C-Dur – so nah liegen die Gegensätze beieinander. Die liebevolle Empfindung setzt sich am Ende durch: Der schroffe Rhythmus des Anfangs ist freundlichen Jamben in der Orchesterbegleitung gewichen. Ferrandos widerstreitende Gefühle sind zwar auf Dorabella bezogen, aber untergründig schwingt natürlich auch seine Faszination durch Fiordiligi mit.

Guilelmo hat gemeinsam mit Alfonso die letzten Takte von Ferrandos Liebeserklärung an seine ungetreue Verlobte angehört. Zum Schaden, den er ihm angerichtet hat, fügt er noch Spott hinzu: Es sei undenkbar, dass eine Frau ihn betröge, denn er verfüge schließlich über gewisse Vorzüge. Guilelmos Ansinnen, seinen Anteil an der Wettsumme ausbezahlt zu bekommen, weist Alfonso jedoch ab – er besteht auf der vollen vereinbarten Zeit für seine Beweisführung. Und rettet sich wieder einmal in eine Sentenz: Der ist ein Narr, sagt er, der den Vogel verkauft, der noch auf seinem Dach sitzt.

Auf der anderen Seite der Front

Nr. 28 Arie Dorabella »È amore un ladroncello«

Dorabella hat sich in Despinas Augen als »eine Frau von Format« erwiesen. Fiordiligi kann nicht begreifen, wie sich »das Herz an einem einzigen Tag so verändern kann«. Dorabellas bündige Antwort: »Was für eine lächerliche Frage – wir sind Frauen«, und ihre Schwester täte gut daran, sich entsprechend zu verhalten. Die Liebe – personifiziert durch Amor – sei nämlich ein kleiner Schelm. Folge man ihm und sei-

Steckbrief: Guilelmo

Bei dem zweiten Liebhaber beginnen die Fragen schon beim Namen. In fast allen modernen Ausgaben heißt er »Guglielmo«, also die italienische Form von Wilhelm. Da Ponte und Mozart aber schreiben »Guilelmo« (zeitweise auch »Guillelmo«) – eine Variante, deren Herkunft bis heute nicht geklärt ist. Die jüngere Form »Guglielmo« ist offenbar erstmals im Dresdner Librettodruck von 1791 nachzuweisen und hat sich bezeichnenderweise bald durchgesetzt: Statt die Brüche und Widerhaken des Werkes zu akzeptieren, wird alles über den Kamm des Üblichen geschert und geglättet. – Wie auch Ferrando und sogar die naiven Mädchen verfügt Guilelmo über erstaunliche literarische Kenntnisse. Dutzende von Anspielungen verraten eine klassische Bildung von der Antike über die italienische Renaissance bis in die Gegenwart. Besonders voll von diesen Verweisen ist die fertig komponierte, kurz vor der Uraufführung zurückgezogene Arie *Rivolgete al lui lo sguardo*, doch auch sonst ist der Text mit Zitaten gesättigt: Guilelmo nennt seine Verlobte eine »Penelope« (die treue Gattin des Odysseus), später auch »die Artemis des Jahrhunderts«, er ruft den Gott Merkur an und erwähnt die Barke Charons. Auf seinen Soldatenstand legt er besonderen Wert: »Wir sind Soldaten und lieben die Disziplin«, versichert er Alfonso. Guilelmo, den Fiordiligi anfangs als »kriegerisch und liebevoll« bezeichnet, erweist sich als der lustigere, draufgängerische der beiden, aber nicht unbedingt als der klügere. Hochmut kommt bei ihm vor dem Fall: In seiner Eitelkeit, die sich ausgerechnet in dem Moment, in dem sein Freund vor den Scherben seiner Liebe steht, ausdrücken muss, steckt er ihm, dass er sich für wesentlich attraktiver hält und es kein Wunder sei, wenn eine Frau seiner Verführung nachgibt. Dieser Spott erweist sich erwartungsgemäß als Bumerang. Nachtragend ist er auch: Als Einziger stimmt er nicht in den Vergessenskanon ein, sondern schimpft auf die ungetreuen Frauen.

nen Launen, mache er einen glücklich, man dürfe sich ihm nur nicht widersetzen. Die Musik beginnt im Orchester wie eine Bläserserenade, die Gesangsmelodie lässt sich in Wellen mittragen, zwischen den Tönen wie durch weiche Meereswogen gleitend. Diese in Rondoform angelegte Arie war, wie schon erwähnt, möglicherweise zunächst für Despina gedacht, sicherlich jedenfalls für Louise Villeneuve konzipiert. Es ist unverkennbar, dass Dorabella an diesem Punkt der Handlung fast völlig mit Despinas Ansichten übereinstimmt (auch sie lässt am Schluss das »Così fan tutte«-Motiv anklingen). Vielleicht hat die zweifache Verrückung dieser Arie (vom 1. in den 2. Akt, von Despina zu Dorabella) eine Rolle dabei gespielt, die Charaktere der beiden Schwestern im Verlauf der Handlung stärker voneinander zu differenzieren – indem Dorabella durch die Übernahme einer eigentlich für Despina bestimmten Arie viel schneller und radikaler ihre Einstellung zu Liebe und Treue ändert als ihre Schwester.

Fiordiligi fasst einen Entschluss. Sie spürt, wie kurz sie davor steht, sich dem Blonden hinzugeben, und will deshalb gemeinsam mit Dorabella fliehen – in Sicherheit und Gefahr zugleich, in die Arme ihrer Verlobten auf dem Schlachtfeld. Dazu bräuchten sie nur Uniformen anzuziehen und sich unter die Soldaten zu mischen. Damit wären ihre Ehre gesichert und hoffentlich auch ihre Gefühle gerettet. Die ernste der beiden Frauen, die Primadonna der Opera seria, greift zum Mittel der Travestie, dem Mittel der Komödiantin Despina. So weit hat sie sich von ihrem Charakter entfernt. »Wie sehr er mich verändert!« stellt sie fest, als sie sich mit dem Soldatenhut im Spiegel betrachtet: Ich erkenne mich selbst kaum wieder. Wir Zuschauer wissen, dass das zum geringsten Teil am Hut liegt.

Nr. 29 Duett »Fra gli amplessi in pochi istanti«

Dieses komplexe Duett in A-Dur fängt an, als sei es eine Arie: Wie in *Come scoglio* versucht Fiordiligi sich durch aufsteigende Dreiklangsbrechungen ihrer Gefühle zu versichern. Der zweite, flüssigere Abschnitt kommt eben in Fahrt, da tritt Ferrando auf und bringt die Musik sofort aus dem (harmonischen) Gleis, mit einer anderen Melodie, in einem anderen Rhythmus und unvermittelt nach Moll gerückt. Fiordiligi sieht ihren Plan verraten, Ferrando drängt sie, ihn mit dem Degen durch den Tod zu erlösen und konfrontiert sie dadurch mit ihrer eigenen Vergangenheit: Im Quintett Nr. 6 wollte sie sich von ihrem Verlobten erdolchen lassen. Im Text scheint Ferrando noch Herr seiner Gefühle zu sein, er bemerkt, dass Fiordiligis Standhaftigkeit zu wanken beginnt. Aber die Musik zeigt, dass er nicht mehr spielt: Mit voller Kraft zu singende Spitzentöne (»Il tuo cor or la mia morte«, a^2) beweisen, dass inzwischen wirklich sein Herz daran hängt, diese Frau zu gewinnen.

Fiordiligi ist am Ende ihrer Widerstandskraft. Dennoch ändert Ferrando für den letzten Schritt die Taktik. Er bricht die Steigerungskurve ab und setzt völlig neu an. In viel langsamerem Tempo (Larghetto) geht Ferrando nun »tenerissimamente«, mit höchster Zärtlichkeit vor. Dieser spezielle Augenblick hat Mozart gefesselt, und vielleicht

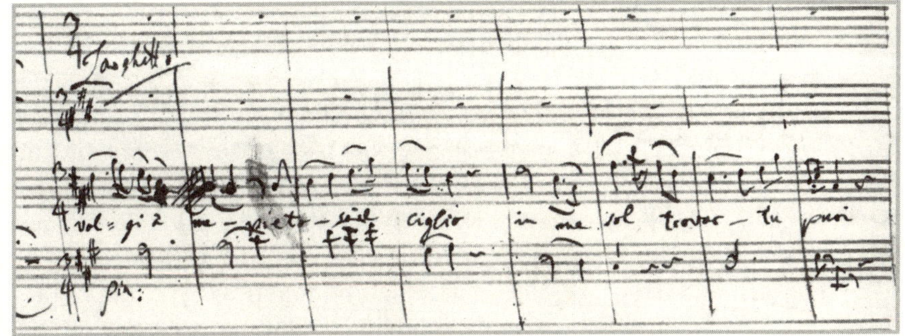

Mozart revidierte seine Melodien selten tiefgreifend. Dies ist einer dieser seltenen Fälle: der Beginn des Larghetto-Abschnitts von jenem Duett, in dem Ferrando Fiordiligis Herz erringt. Die Neufassung drückt noch wirkungsvoller die Überwältigung der Gefühle aus.

war dieser Moment für ihn als Komponisten der eigentliche Reiz, die initiale Herausforderung an dieser Oper – eine Melodie zu finden, mit der Ferrando Fiordiligi verzaubert, den musikalischen Hauch, der ihren Schutzwall überwindet. Fiordiligi kann nicht länger widerstehen: »Mach mit mir, was du willst!« Singen in Terzen, Gleichklang der Herzen, schwelgerische Umarmung, 42 Takte lang: Das übertrifft die Übereinstimmung des anderen Paares bei Weitem.

Guilelmo, der alles mit angesehen hat, ist außer sich. All die hochgestochenen Prädikate, mit denen er Fiordiligi bedacht hatte, sind Makulatur. Statt sich weiter mit Ferrando zu streiten, überlegt Guilelmo lieber, wie man die Frauen bestrafen kann. Das ist der Moment für Alfonso, die Sache zu Ende zu bringen, und er schlägt vor: indem ihr sie, eure »zerrupften Krähen«, heiratet. Dass sich auch ihre eigenen Gefühle im Tausch-Spiel verändert, sie also eine Zuneigung zu den »neuen« Frauen gefasst haben könnten – darüber fällt kein Wort, es bleibt unter ihnen unausgesprochen.

Nr. 30 Terzett »Tutti accusan le donne«

Mit einem für den Moment seines Triumphs vorbereiteten Achtzeiler zwingt Alfonso die beiden Männer, genau die Aussage, die sie vor weniger als einem Tag so wütend bekämpft hatten, nun als Erkenntnis selbst auszusprechen: dass die Untreue der Frauen eine Naturnotwendigkeit sei – »ob jung, ob alt, ob schön, ob hässlich, / wiederholt es mit mir: So machen es alle!« Und die jungen Männer tun es tatsächlich. Aus C-Dur beginnend, leitet Alfonso sie mit seinem »Diktat« in einem klassischen Trugschluss nach a-Moll. In dieser so schlichten wie berührenden Wendung ist der ganze Schmerz gefasst, den die vier Probanden im Laufe der Lehrstücks erleiden mussten und noch erleiden werden. Erst mit dem Echo von Ferrando und Guilelmo, in ausgestellt lauter Heiterkeit, führt die Kadenz wieder nach C-Dur – womit die Ausgangs- und Grundtonart der Oper erreicht wäre. Kaum zu fassen, wie lapidar sich die beiden Männer zu dieser abschließenden Zusammenfassung bereitfinden, ohne eine Ernüchterung, gar Erschütterung erkennen zu lassen. Zwischen Situation und Komposition liegt ein Riss, der sich bis in die Protagonisten hindurchzieht; dass die mehrmalige Neukonzipierung der Handlung noch während der Komposition das Stück wesentlich verschärft hat, wird hier schlagend ersichtlich.

Kein Entrinnen

Mitten in diese halbherzige Versöhnung platzt Despina mit der Nachricht, die Frauen seien zur Hochzeit bereit. Und an diesem Punkt funktioniert das Stück nicht. Jedenfalls nicht so, wie es in der Fassung der Uraufführung überliefert ist. Die Handlung hat hier einen Webfehler, der nicht auszubügeln ist. Worin liegt dieser Fehler? Despina meint natürlich, die *neuen* Paare sollten heiraten – sie weiß ja gar nicht, dass sich unter der Verkleidung der Albaner die alten Verlobten verbergen. Ferrando und Guilelmo aber haben gerade eben mit Alfonso vereinbart, das Spiel zu beenden und ihre alten Verlobten zu heiraten. Despinas Vorstoß ist also gar nicht in ihrem Sinne. Dennoch klingt ihre Verblüffung in der Reaktion der drei Männer nicht einmal ansatzweise an. Die Antwort auf Despinas Frage, ob ihr Plan recht sei, lautet von allen dreien gleich: »contentissimi!«, höchst zufrieden. Und man fährt fort, als hätte es diese Irritation nie gegeben. Was ist hier bloß passiert? Dazu

Steckbrief: Despina

Despinas zweite Arie *Una donna a quindici anni* hat zu einem weitverbreiteten Irrtum geführt, denn dem Teenageralter ist sie längst entwachsen. Tatsächlich heißt es im italienischen Originaltext »donna«, also »Frau«: Schon mit 15, so spitzt sie ihre Lehre ein wenig zu, müsse sich ein Mädchen als Frau begreifen und entsprechend verhalten können. Despina selbst nennt sich »fanciulla« (Mädchen), wird aber um einiges älter sein – auch wenn sie gegenüber Alfonso mit ihrer Behauptung, schon tausend Männer an der Nase herumgeführt zu haben, übertreiben dürfte. Jedenfalls hält sie sich aufgrund ihrer amourösen Erfahrungen für ausreichend qualifiziert, auch die Damen zu einer Affäre zu verführen.

Sie ist sich der Vergänglichkeit aller Gefühle bewusst und vermeidet deshalb, sich allzu tief in eine Sache zu verstricken. Liebe ist für sie Genuss, Zeitvertreib, Freude, Zerstreuung, Unterhaltung, Spaß; sobald etwas anfängt, unbequem zu werden, sagt sie, ist es nicht mehr Liebe. Die sei ohnehin überschätzt: Eine schöne, junge Frau könne zwar ohne Liebe, doch nie ohne Liebhaber leben. Auf einen ehrbaren Ruf gibt sie nicht viel, denn den hat sie schon lange gründlich ruiniert und kann es sich deshalb ungeniert gut gehen lassen. Sie ist sich der prinzipiellen Gleichheit aller Menschen, seien sie von Adel oder nicht, bewusst, mit der faktischen Ungleichheit hat sie sich dennoch abgefunden. Für eine Tasse heiße Schokolade oder ein Trinkgeld zur rechten Zeit ist sie bereit zu allem.

Despina und Alfonso kennen sich anscheinend schon recht lang, ohne dass sie je ein Paar gewesen wären oder noch werden könnten. Eine gewisse Neckerei zwischen ihnen steht dem nicht entgegen. Immerhin gebraucht Despina im 2. Akt genau denselben materialistischen Begriffsgegensatz wie Alfonso in der Exposition: Man befinde sich auf der Erde, nicht im Himmel, der daher niemanden vor irgendetwas »bewahren« könne.

müssen wir dem Gang der Handlung etwas vorgreifen. Aus Alfonsos Perspektive wären im Wesentlichen zwei Möglichkeiten denkbar:

1. Alles geschieht in seinem Sinne und auf seine Veranlassung. Er wollte die Schraube noch weiterdrehen und das Experiment bis zum bitteren Ende – einer fingierten Hochzeit mit den »falschen« Partnern – durchziehen. Das heißt, er müsste Despina instruiert haben, damit diese ihre Überzeugungsarbeit bei den Frauen weitertreibt und sie zum Heiratsvorschlag, der ja von ihnen kommt, animiert. Er müsste sie auch beauftragt haben, den Notar zu spielen. Doch Despina weiß

nicht, dass die beiden Fremden die alten Verlobten sind; warum sollte also kein echter Notar die Ehen schließen? Das müsste sie doch stutzig machen. Sie übernimmt den Part aber ohne zu zögern.

2. Oder Alfonso wollte das Spiel hier wirklich abbrechen, die Verwirrung aufheben und die »alten« Paare umgehend wiedervereinigen, doch Despinas Effektivität übersteigt seine Erwartungen, der Hochzeitsvorstoß für die »neuen« Paarungen überrumpelt ihn selbst. Anders gesagt: Despina hätte Alfonsos Auftrag weiter ausgelegt, als dieser gemeint gewesen war. Alles, was sich von jetzt an ereignet, müsste dann von Alfonsos Seite aus improvisiert sein, indem er seine Pläne der neuen Lage anpasst. Doch davon ist auf der Bühne nichts zu sehen.

Und da sind noch die beiden jungen Männer. Ferrando und Guilelmo haben nie vorgehabt, die Verlobte des anderen zu heiraten. Sie haben sich gerade mit der Lehre Alfonsos abgefunden und sind bereit, ihre bisherigen Verlobten, obschon »zerrupft«, wieder in ihr Herz aufzunehmen. Jetzt sollen sie auf einmal wieder zurückschalten, weiterhin der Verlobten des Freundes den Hof machen? Ein starkes Stück. Zum anderen können sie gar nicht wissen, dass die offenbar von den Frauen angeregte Hochzeit fingiert sein wird. Denn das sagt ihnen keiner. Es bleibt sogar offen, ob sie Despina unter dem Notarskostüm erkennen. Im Grunde müssten sie hier unter Protest jeden Schritt verweigern. Trotzdem spielen sie brav weiter mit. Wie man es dreht und wendet – an dieser Stelle geht die Handlung nicht auf.

Der Grund: Hier stehen zwei Entstehungsschichten des Werkes miteinander in Konflikt. Wenn man diese Fuge näher betrachtet, lässt sich erkennen, wie tiefgreifend Mozart und Da Ponte die Handlung umgebaut haben. Es geht, wieder einmal, um die Frage, welche der Frauen Ferrando und Guilelmo verführen – ihre eigene oder die des Freundes. Die Lösung wäre eine Hochzeit, die gleichzeitig gespielt und echt ist. Nimmt man an, dass die Autoren zumindest eine Zeitlang erwogen haben, die Verführung parallel zu gestalten – sprich: jeder verführt seine ursprüngliche Verlobte (indem von Anfang an Fiordiligi mit Ferrando und Dorabella mit Guilelmo zusammen sind) –, dann erweisen sich viele Handlungsmomente in der Oper als vollkommen schlüssig; auch die Hochzeit würde so »passen«. Doch durch die Überkreuz-Kombination ist eine komplett vorgetäuschte Zeremonie nötig und danach eine abrupte Wiederherstellung der alten Verhältnisse. Da aber die Entscheidung, zu einer Intrige zurückzukehren, in der die Verführung überkreuz geschieht, erst im Verlauf der Vertonung gefällt wurde, ist der Spalt in der Handlungskonstruktion hier offen geblieben.

Nr. 31 Finale

Despina hat schon alles veranlasst, die Tafel ist gedeckt, die Kerzen werden angezündet, das Orchester ist platziert, der Hochzeitschor begrüßt die Brautleute. Zwischen Gratulationen und Ehevertrag hat Mozart einen Ruhepunkt geschoben: einen vierstimmigen Kanon, im Larghetto und $^{3}/_{4}$-Takt wie der langsame Teil des Duetts von Fiordiligi und Ferrando, in dem die Gefühle dem Wahrhaftigen am nächsten gekommen sind. Dieser Kanon spiegelt die Situation des Abschiedsquintetts *Di scrivermi ogni giorno.* Hier wie dort dehnt die Musik die Zeit bis zum Stillstand der Handlung; dort bestärkt sie die Zusammengehörigkeit der alten Paare, hier die der neuen. In diese extreme Dehnung gehört auch das Terzettino *Soave sia il vento*: Es sind die Wendepunkte des Dramas, an denen das Experiment beginnt und endet.

Man trinkt bizarrerweise nicht auf künftiges Glück, sondern aufs Vergessen, doch nicht alle wollen in diese Vergessenheit einstimmen. Nach den Einsätzen von Fiordiligi, Dorabella und Ferrando schert Guilelmo aus: Er wünscht, die ehrlosen Füchsinnen möchten statt Wein Gift trinken.

Despina tritt zum zweiten Mal in Verkleidung auf, nun als Notar Beccavivi (einer pfiffigen Verkehrung von »beccamorti«, Totengräber), und bringt die Eheverträge mit. Die Frauen unterschreiben, die Männer noch nicht. Genau in dem Moment, als sie dazu ansetzen, kündigt der Soldatenchor die vorzeitige Rückkehr der Verlobten an! Die Albaner werden versteckt, und die Frauen drehen vor Schreck fast durch. Forte-Piano-Kontraste und Akzentexplosionen im Orchester zeichnen ein Abbild ihres Gemütszustandes. Mehrere Generalpausen mit Fermaten erlauben dem Dirigenten, die Passage so zu dehnen, bis die Sänger um-

Hinz und Kunz

»Tizio« und »Sempronio« sind die Namen, die Despina in ihrer Rolle als Notar den beiden »Albanesern« verleiht. Das ist eines der vielen Wortspiele, mit denen Da Ponte seinen Text angereichert hat – denn die Redewendung »Tizio e Sempronio«, häufiger noch in der Kombination »Tizio, Caio, Sempronio« ist die italienische Entsprechung von »Hinz und Kunz« – wie es sie praktisch in allen Sprachen gibt: Auf Englisch wären es »Tom, Dick and Harry«, auf Französisch »Pierre, Paul ou Jacques«.

gezogen sind, um als heimkehrende Soldaten wiederaufzutreten. Ein kräftiger, unharmonisierter Schlag des Orchesters auf dem Ton *b* markiert lapidar, wie Ferrando und Guilelmo die Tür öffnen, und räumt den Platz frei für ihre Unschuldsmelodie in Unschuldsmiene.

Die Männer »entdecken« den Notar. Zwar kann Despina ihre Verkleidung geistesgegenwärtig erklären, die von Alfonso wie zufällig platzierten Eheverträge aber lassen sich nicht wegdiskutieren. Die Schuld der Frauen liegt offen zutage. Die Männer spielen Erstaunen und Wut. Voller Reue bitten die Frauen um Verzeihung und erheben Vorwürfe gegen Despina und Alfonso. Der leugnet nicht und weist auf das Zimmer, in dem sich die Liebhaber versteckt hatten: Darin finde sich der Grund für alles. Ferrando und Guilelmo verschwinden in der Kammer und kommen nach einem kurzem Moment »ohne Hut, Mantel und Bart, sonst aber in der früheren Verkleidung wieder heraus und ahmen sich und Despina in den früheren Rollen komisch nach« (Partitur). Allerdings nicht Ferrando: Was er singt, bezieht sich offenbar auf eine Nummer, die zwischenzeitlich gestrichen worden war – seine geziert-höfische Melodie ist nirgends vorher zu hören gewesen. Despina ist nicht weniger verblüfft als Fiordiligi und Dorabella.

Alfonso gibt die Täuschung zu und rechtfertigt sein Vorgehen durch ein eng verwandtes Wortpaar: Mit seinem »inganno«, also seinem Betrug, hat er den Liebenden »disinganno«, ungefähr Desillusionierung, verschafft. Fiordiligi und Dorabella wollen von jetzt an nichts anderes mehr tun als ihre Geliebten anzubeten und ihnen mit Liebe zu vergelten, dass sie ihnen untreu geworden sind. Ferrando und Guilelmo wollen auf weitere Prüfungen dieser Treue verzichten. Despina findet sich damit ab, dass heute auch sie einmal hereingelegt worden ist.

Dann vereinen sich alle sechs zum Schlussgesang. Sein Anfang zitiert das Allegro-Thema von Fiordiligis *Felsenarie*, das seinerseits schon aus dem *Kyrie* der *Krönungsmesse* übernommen worden war: Fiordiligis Treue wirkt nach selbst bis in die Überhöhung der »Lehre«.

Doch was ist aus der »Schule der Liebenden« geworden? Von Liebe ist gar nicht mehr die Rede, die Frage nach der Treue scheint vergessen, die Antwort bringt einen ganz neuen Begriff ins Spiel: die Vernunft. Alfonsos Tonart der Aufklärung, C-Dur, kommt wieder zu ihrem Recht. Nur mit »ragione«, nüchtern-rationaler Betrachtung der Dinge, sei eine »bella calma« zu erreichen – das fast unübersetzbare Wort meint einen Zustand von heiterer, ausgeglichener, damit »schöner« Gemütsruhe. Aber mit welcher Anstrengung wird diese Erkenntnis erreicht! Dass dieses Fazit alle an die Grenzen des Erträglichen führt, ist musikalisch überdeutlich. Denn vorher muss noch das, »was andere gewöhnlich zum Weinen bringt«, durchschritten werden, und zwar in der Tonart der Verstellung, f-Moll (die Alfonso in seiner Arie benutzt hat, um die Frauen zu täuschen). Das Lachen wird mit kichernden Holzbläsertrillern in G-Dur entgegengesetzt, als Dominante zu C-Dur damit die Brücke schlagend zur Haupttonart der Oper. Von der Erkenntnis scheinen die sechs Beteiligten so ehrfurchtsvoll getroffen zu sein, dass sie – nach dem Fortissimo-Ausbruch bei den Wirbelstürmen (»turbini«) – die Aussicht auf die »bella calma« erst einmal nur sotto voce im Piano flüstern können. Wonach natürlich eine mehrfache Wiederholung dieses Halbsatzes in jubelndem Forte das Stück beschließt.

Müssen die alten Paare zwingend wieder zusammengeführt werden? Erfordern Theaterkonventionen der Zeit wirklich die Wiederherstellung des alten Zustandes? Gibt es bei Marivaux nicht viele Gegenbeispiele? Die richtigen Paare sind die falschen, die falschen die richtigen; das scheint uns die Musik deutlich gemacht zu haben. Wäre das eine Lösung?

Doch Dorabella hat ja nicht mit Guilelmo geflirtet, sondern mit einem exotischen Verehrer, und Fiordiligi hat sich nicht in Ferrando verliebt, den sie bereits kannte, sondern in einen vermeintlich völlig Fremden, der sich auch anders verhielt als der Freund ihres Verlobten. Ein Zusammenbleiben dieser Paare ist gar nicht möglich, weil die Männer auf ewig ihre Rolle weiterspielen müssten. Aber nicht nur dieses lebenspraktische Hindernis steht der Auffassung entgegen, die neue Ver-

Patience and tranquillity of mind contribute more to cure our distempers as the whole art of Medecine. –

bindung sei diejenige, für die man sich am Ende entscheiden müsste. Es wäre auch geradewegs eine Verfehlung des Themas. Denn die Oper sagt doch: Wie auch immer ihr euch entscheidet, es bleibt ein Rest, der sich nicht auflösen lässt, es bleibt immer ein Zweifel, es gibt immer eine Alternative. Die alten Partner durch neue auszutauschen und dann überzeugt zu sein, für alle Zeit die richtige Wahl getroffen zu haben, hieße die aus dem Stück gewonnenen Einsichten zu verweigern.

Mozart als Philosoph, mit der um drei Jahre vorweggenommenen Erkenntnis der Oper. Sein englischer Eintrag im Stammbuch von Johann Georg Kronauer, 30. März 1787, lautet in deutscher Übersetzung: »Geduld und Gelassenheit des Geistes tragen mehr zur Heilung unserer Krankheiten bei als die ganze Kunst der Medizin.«

Die Fermaten, die herausgeschleuderten Sätze, die fast Schmerzensschreien ähnelnden langen Noten mit ihren abgerissenen Endungen (auf das Wort »turbini«, »Stürme«) – darin steckt auch ein gerüttelt Maß an Aggressivität, an Wut auf den »Verführer«, der die vier jungen Menschen zu ihrem Glück zwingen wollte. Denn Zwang und Gewalt sind nicht der richtige Weg. Auch wenn es länger dauert, mühsamer ist, oft nicht zum Ziel führt: Es geht nur mit Überzeugungen. Kaiser Joseph II. musste diese Lehre ziehen. Sein Kampf gegen »Fanatismus« (wie es in Beethovens Trauerkantete auf den Tod des Monarchen heißt) blieb ohne nachhaltigen Erfolg. Alfonso hat vier Freunde verloren. Ob er auch erkennen wird, wo er falsch lag – die Frage, die im Subtext angelegt ist –, erzählt das Stück nicht mehr.

»Così fan tutte« auf der Bühne

Nach der Uraufführung

Mozart hat die Oper nach den zehn Wiener Vorstellungen 1790 nicht noch einmal gehört. In Wien wurde sie erst wieder 1794 (und zwar auf Deutsch) aufgeführt. Aber sie galt keineswegs als Reinfall oder Misserfolg – die kurze Aufführungsserie war vor allem dem Tod des alten Kaisers geschuldet. Auch die Reaktionen nach der Uraufführung klangen zunächst positiv. Die erste überlieferte schriftliche Äußerung darüber stammt von einem Wiener Verwaltungspolitiker, dem bestens vernetzten Grafen Zinzendorf, der seine vielen Opernbesuche (offenbar sah er jede einzelne Vorstellung der *Figaro*-Aufführungsserie im Spätsommer 1789!) immer auch zu Gesprächen mit wichtigen Persönlichkeiten nutzte. Er schreibt in seinem Tagebuch: »Die Musik von Mozart ist charmant und die Handlung sehr amüsant.« Ähnlich positiv urteilte das Wiener *Journal des Luxus und der Moden* zur Uraufführung: »Unser Theater hat ein neues vortreffliches Werk von Mozart erhalten … Von der Musik ist, glaube ich, alles gesagt, dass sie von Mozart ist.« Und der italienische Impresario Domenico Guardasoni – mit dem Mozart schon im April 1789 verhandelt hatte und der ihm später den Auftrag zu *La clemenza di Tito* vermittelte – bereitete bald eine Neueinstudierung in Prag vor. Diese Produktion ist auch deswegen erwähnenswert, weil Mozart für sie seine Partitur überarbeitete. Guardasoni bestritt damit mehrere Gastspiele und machte die Oper in Leipzig und Dresden bekannt. Auch in anderen Städten wurde *Così fan tutte* noch zu Lebzeiten Mozarts gespielt, so zum Beispiel in Frankfurt a.M. und Mainz – dort allerdings in deutscher Übersetzung. In Italien setzte sich die Oper hingegen nur langsam durch, die erste Aufführung ist 1797 in

Triest nachgewiesen, erst 1807 kam sie in Mailand auf die Bühne und blieb vorerst ein seltener Gast.

Die öffentliche Meinung wandelte sich bald. *Così fan tutte* wurde zum wunden Punkt der Mozartliebhaber, die sich mehr und mehr wünschten, man könnte das Stück ganz ungeschrieben machen. Es war nicht so sehr die Erotik auf der Opernbühne, an der man Anstoß nahm. Schließlich ist *Don Giovanni* immer beliebt geblieben. *Così fan tutte* aber wurde den Menschen fremd – vielleicht weil es keine pittoreske Einkleidung gibt, die sich als Puffer zwischen Bühnenfiguren und Publikum legt, und keine überlebten Standesunterschiede eine Distanz schaffen. Dort geht es um Grafen und Lakaien, hier bewegen sich alle auf demselben sozialen Niveau. Was da zwischen vier jungen Leuten passiert, kann sich in jeder Gesellschaft und zu jeder Epoche ereignen. Das wollte man nicht wahrhaben. Die Kritik nahm sozusagen denselben Standpunkt ein, den Ferrando und Guilelmo am Opernbeginn verkünden: Die Treue der Frauen ist über jeden Zweifel erhaben, sie auch nur in Frage zu stellen, kommt bereits einem Sakrileg gleich.

Schon der Wiener Korrespondent der Berliner *Annalen des Theaters* meinte, »ein elendes, welsches Produkt mit der kraftvollen erhabenen Musik eines Mozarts« erlebt zu haben. Der berühmte Schauspieler (und Freimaurer) Friedrich Ludwig Schröder notierte in seinem Tagebuch, es handle sich um »ein elendes Ding, das alle Weiber herabsetzet, Zuschauerinnen unmöglich gefallen kann und daher kein Glück machen wird.« (28. April 1791) Das *Journal des Luxus und der Moden,* das im Premierenbericht noch wohlwollend gestimmt gewesen war, bricht in einer Meldung über die Berliner Aufführung von 1792 den Stab über den Stoff: »Es ist wahrlich zu bedauern, dass unsere besten Komponisten meist immer ihr Talent und ihre Zeit an jämmerliche Sujets verschwenden. Gegenwärtiges Singspiel ist das albernste Zeug von der Welt, und seine Vorstellung wird nur in Rücksicht der vortrefflichen Komposition besucht.«

So setzte sich bereits im 18. Jahrhundert die Tendenz durch, den Text der Oper als das eigentliche Übel auszumachen. Er war das Produkt eines »Welschen«, und Mozart, so wird spekuliert, müsse entweder einer kurzzeitigen Verirrung unterlegen gewesen sein, sich zu seiner Vertonung bereitzufinden, oder er brauchte das Geld zu sehr, als dass er den Auftrag hätte ablehnen können. Auch wurde gemunkelt, er sei von höheren Mächten gezwungen worden (und damit quasi entschuldigt), das erbärmliche Libretto zu akzeptieren.

Die herrschende Meinung prägte wenig später Franz Xaver Niemetschek, einer der ersten Mozart-Biografen, in der (zuerst 1798, in zweiter Auflage 1808 erschienenen) *Lebensbeschreibung* des Komponisten. In ihr bringt er eine vielgebrauchte Verteidigungslinie für »die lieblichste und scherzhafteste Musik voll Charakter und Ausdruck« ins Spiel: »man wundert sich allgemein, wie der große Geist sich herablassen konnte, an ein so elendes Machwerk von Text seine himmlisch süßen Melodien zu verschwenden. Es stand nicht in seiner Gewalt, den Auftrag abzulehnen, und der Text ward ihm ausdrücklich aufgetragen.« Das hat Georg Nikolaus von Nissen in seiner Mozart-Dokumentarbiografie in wörtlichem Zitat bestätigt, obwohl er es von seiner Frau Constanze – der Witwe Mozarts – hätte besser wissen können. Der Theaterkritiker Friedrich Heinse setzt noch eine vollends aus der Luft gegriffene Geschichte drauf: »Einem Gerücht nach hätte eine zwischen zwei Offizieren und deren Geliebten damals in Wien wirklich vorgefallene, dem Intreccio [der Handlung] des Textbuches ähnliche Stadtgeschichte dem Kaiser Veranlassung geboten, seinem Hofpoeten Guemara mit der Kommission zu beehren, aus dieser Klatscherei ein ›Drama giocoso da mettersi in musica‹ zu machen [also ein in Musik zu setzendes komisches Drama].« Schon der Lapsus mit dem Hofpoeten – Giovanni di Gamerra, der wohl mit »Guemara« gemeint ist, wurde erst 1793 Theaterdichter in Wien, und Heinse verwechselt ihn offenbar mit Da Ponte – hätte diese Darstellung von vornherein diskreditieren müssen. Zudem ist Da Pontes Text von literarischen Anspielungen so gesättigt, ja im Kern von poetischen Bezügen geprägt, was eine solche Kolportage-Spekulation geradezu abwegig macht. Aber es passte halt zu gut. So konnte man Mozart, den man aus falsch verstandener Verehrung ungern mit einer vermeintlich frivolen Story in Verbindung brachte, in Schutz nehmen. Der Kaiser hatte Gefallen gefunden, eine ihm zugetragene Affäre auf der Opernbühne dargestellt zu sehen – und Mozart musste, ob er wollte oder nicht, dieses »jämmerliche Sujet«, diese »Verhöhnung der Liebe« (Arthur Schurig, 1913) vertonen. Das Gerücht deutet gleichzeitig auf ein Paradox hin: Das Publikum des 19. Jahrhunderts, das so große Probleme mit *Così fan tutte* und ihrem Untreuebeweis hatte, war trotzdem oder gerade deshalb ernsthaft von der Möglichkeit berührt, dass sich eine solche Geschichte tatsächlich ereignen könnte.

Licht und Schatten im 19. Jahrhundert

Einer der wenigen maßgeblichen Musikschriftsteller, die die Oper – und auch ihren Text – geschätzt haben, war E. T. A. Hoffmann. In *Der Dichter und der Komponist* (später aufgenommen in den ersten Band der *Serapionsbrüder*) etwa wird »der Ausdruck der ergötzlichsten Ironie« in »Mozarts herrlicher Oper *Così fan tutte*« gerühmt, und auch das Libretto als »wahrhaft opernmäßig« gepriesen.

Hoffmann wusste, dass er mit dieser Ansicht ziemlich allein auf weiter Flur stand. Weitaus mehr prominente Ablehnungen ziehen sich durch die Literatur. Ludwig van Beethoven mochte das Stück nicht – er vertraute Ludwig Rellstab an: »Opern wie *Don Juan* oder *Così fan tutte* konnte ich nicht komponieren. Dagegen habe ich einen Widerwillen – Ich hätte solche Stoffe nicht wählen können, sie sind mir zu leichtfertig.« Diese Abneigung hat ihn nicht daran gehindert, Fiordiligis Rondò als Muster für seine große Leonoren-Arie im *Fidelio* zu nehmen.

Richard Wagner ging so weit zu behaupten, die vorgebliche Niedrigkeit des Sujets habe auch die Qualität von Mozarts Schaffen herabgezogen: »O, wie ist mir Mozart innig lieb und hochverehrungswürdig, dass es ihm nicht möglich war, zu *Così fan tutte* eine Musik wie die des *Figaro* zu erfinden: wie schmählich hätte dies die Musik entehren müssen!« (*Oper und Drama*, 1851) Und der berühmte Musikkritiker Eduard Hanslick wiederholte den zweifachen Vorwurf von Albernheit (also Unglaubwürdigkeit der Handlung) und Frivolität (bzw. Frauenfeindlichkeit des Textes) und wertete das Libretto in ebendiesem Doppelschlag als »geistlos und impertinent« ab – und zwar durchgehend fast vierzig Jahre lang, noch bis zu seiner Rezension der Neuinszenierung von Gustav Mahler 1900. In seiner längsten Stellungnahme von 1875 erklärt Hanslick *Così fan tutte* für unrettbar: »Die grenzenlose Plattheit des Textbuches ist's, was Mozarts lieblicher Musik zu *Così fan tutte* überall den Garaus macht. Die Bildung unserer Zeit kann bei bestem Willen damit keinen Vergleich mehr schließen … Ich halte *Così fan tutte* auf der Bühne nicht mehr für lebensfähig.«

Das 19. Jahrhundert behalf sich mit dem Kunstgriff, die Handlung zu bearbeiten. Da es im deutschsprachigen Raum selbstverständlich geworden war, italienische Opern in Übersetzung zu spielen, war es umso leichter, den originalen Plot auf zeitgemäße Moralvorstellungen zurechtzuschneidern. In der Bearbeitung von Carl Alexander Herklots, erstmals 1820 in Berlin aufgeführt und dann weit verbreitet, sind die beiden Männer, die die Frauen verführen, nicht die verklei-

Eine Auswahl von Titeln deutscher Übersetzungen und Bearbeitungen mit dem Jahr des Erscheinens bzw. der Aufführung

- *Così fan tutte. Eine machts wie die andere, oder: die Schule der Liebhaber;* Prag 1791, Breslau 1792
- *Liebe und Versuchung;* Frankfurt a. M. 1791
- *Die Schule der Liebhaber oder: Eine ist wie die andere;* Augsburg 1794
- *Weibertreue, oder die Mädchen sind von Flandern* (Bearbeitung von Christoph Friedrich Bretzner); Leipzig 1794 (ein »Mädchen aus Flandern« galt seit Hans Sachs als Sinnbild der Flatterhaftigkeit)
- *Die Wette;* Stuttgart 1796
- *Mädchenlist;* Hamburg 1796
- *Mädchentreue;* Berlin 1805
- *Die Wette, oder: Mädchenlist* (Neubearbeitung); Frankfurt a. M. 1806, München 1812
- *Mädchenrache;* Breslau 1806
- *Die Zauberprobe;* Wien 1814
- *Mädchen sind Mädchen;* Stuttgart 1816
- *Die Zauberprobe* (Neubearbeitung); Frankfurt a. M. 1816
- *Die verfängliche Wette* (Neubearbeitung von Carl Alexander Herklots); Berlin 1820
- *Die Zauberspiegel* (Neubearbeitung); Frankfurt a. M. 1823
- *Der Weiberkenner;* Weimar 1830
- *Die Guerillas* (Neue Handlung von J. D. Anton); Frankfurt a. M. 1837
- *Weibertreue, oder So machen es Alle* (Bearbeitung von Louis Schneider); Berlin 1846
- *Sind sie treu?* (Neubearbeitung von G. Bernhard); Stuttgart 1858
- *So machen's alle* (Neubearbeitung von Eduard Devrient); Karlsruhe 1860
- *Peines d'Amours perdues* (Bearbeitung nach Shakespeares *Love's Labour's Lost* von Jules Barbier und Michel Carré); Paris 1863
- *So machen es Alle;* Berlin 1871
- *Così fan tutte – So machen's Alle* (Neuübersetzung von Hermann Levi); München 1897
- *Die Dame Kobold* (Bearbeitung nach Calderón von Karl Scheidemantel); Leipzig 1909

deten Verlobten, sondern zwei ganz andere Personen, die auch von anderen Sängern verkörpert werden als Ferrando und Guilelmo. Beim Rettungsversuch von Bernhard Gugler (1856) ist Fiordiligi von Anfang an mit Ferrando und Dorabella mit Guilelmo verlobt, die Verführung ändert also die paarweise Zuordnung nicht. Gugler greift damit, ohne es wissen zu können, eine Idee auf, die auch Mozart und Da Ponte eine Zeitlang verfolgt hatten.

Der patriotischen Zeitstimmung entsprechend – in einem Bericht der *Allgemeinen musikalischen Zeitung* von 1867 wird vermerkt, Fiordiligi und Dorabella seien eben »keine deutschen, in strengen Grundsätzen erzogenen Mädchen!« – bereichert J. D. Anton 1837 seine Adaption um neue Details. Das *Frankfurter Konversationsblatt* war mit der Neufassung, die den überraschenden Titel *Die Guerillas* trägt, sehr zufrieden: »Die Personen handeln nach weit wichtigern Motiven, z. B. aus Vaterlandsliebe, Nationalstolz und Hass, Geiz u. s. w., Mozarts Musik fußt nun nicht mehr auf vagen Grundlagen«. Aber Anton verknüpfte diese »deutsche« Variante noch mit zwei anderen Bearbeitungsrezepten – der Parallelverführung und dem frühen Durchschauen der Intrige, bei dem die Frauen heimliche Komplizen werden: Hier wissen sie von der Verkleidung der Männer, und diese werben auch nicht über Kreuz, sondern um ihre eigenen Geliebten.

Die anfängliche Wertschätzung von *Così fan tutte* wich einem heftigen Streit der Meinungen, bis in der Mitte des 19. Jahrhunderts der Tiefpunkt erreicht scheint. Statt der Oper selbst, ob auf Italienisch oder Deutsch, wurden fast nur noch Bearbeitungen gespielt. Die Verdikte reichen bis ins frühe 20. Jahrhundert, als *Così fan tutte* schon in Originalgestalt auf die Theater zurückgekehrt war.

Fast immer wurde Da Ponte als der Schuldige ausgemacht; schon in dem Pamphlet *Der Anti-Daponte* (1791) war die Rede von seinem »geschmacklosen, holpernden und unzusammenhängenden Operntext«. Zur Herabwürdigung als »welscher«, also italienischer Verseschmied gesellten sich noch zu seinen Lebzeiten andersgeartete Invektiven. Schon im verhältnismäßig toleranten Wien sah sich Da Ponte antisemitischen Angriffen ausgesetzt. Das erklärt, warum er später, auch in seinen Memoiren, seine jüdische Herkunft so vielsagend verschwieg. Zwischen dem zweiten und vierten Jahrzehnt des vergangenen Jahrhunderts hatten die Nationalsozialisten keine geringe Mühe, Mozarts Meister-Opern vom Einfluss des »nichtarischen« Textautors zu befreien. Bisweilen unterschlug man einfach seinen Namen. Ein anderes Problem war die dem Original nahekommende, inzwischen zum Standard avancierte Übersetzung Hermann Levis – gleich der zweite Jude, dessen Beteiligung man ungern duldete. So wurde eine Neuübersetzung beauftragt, die der alten oft verblüffend ähnlich ist, als »reinrassig« deutsches Produkt aber gedruckt und aufgeführt werden konnte.

Die Aufführungsgeschichte von *Così fan tutte* im 19. Jahrhundert gleicht einer Mischung aus Trauer- und Satyrspiel. Erst, als man erstarrte Klischees zu prüfen begann, als ein Dirigent wie Felix Mottl Mozart als den »kühnsten Neuerer der Tonkunst« bezeichnete und auf das Abgründige seiner Musik hinwies, konnte auch *Così fan tutte* wiederentdeckt und neu bewertet werden. Zu verdanken ist das einem Dirigenten, der wusste, was eine gute Oper ausmacht.

Interpretationen und Inszenierungen im 20. Jahrhundert

Kurz vor der Jahrhundertwende gab es für die Aufführungsgeschichte von *Così fan tutte* die entscheidende Zäsur. Der Impuls dazu kam vom Komponisten der Stunde, selbst hochprominent und umstritten: Richard Strauss. Und zwar in seiner Eigenschaft als Hofkapellmeister in München. Dort setzte er einen Mozart-Zyklus auf den Spielplan, komplett neu einstudiert, szenisch wie musikalisch; Strauss' Vorstoß für *Così fan tutte* war dabei der wichtigste. Die Voraussetzung schildert der Kritiker Oskar Merz *(Münchener Neueste Nachrichten)*: »Wirklich lebendig aber kann dramatisch gedachte und empfundene Musik nur dann sein, wenn sie zu den Situationen und Vorgängen, zu denen sie geschrieben ist, erklingt. Deshalb musste dem Werk vor allem seine *Originalgestalt* wiedergewonnen werden.« Das bedeutete für Strauss, dass er mit der Aufführungstradition brechen musste, denn die hatte ja diese Originalgestalt nach Kräften zu übertünchen versucht. Zu seinen Neuerungen gehörten

- eine weitgehend ungekürzte Aufführung (anscheinend fehlte nur das Duettino *Al fato dàn legge*) mit nahtloser Szenenfolge
- eine dem Original nahekommende, neue Übersetzung von Hermann Levi
- eine wesentlich kleinere Orchesterbesetzung
- eine Wiederbelebung der üblicherweise durch Dialoge ersetzten originalen Rezitative, und zwar am Cembalo begleitet (und nicht am Klavier oder in Arrangements für Streichquartett oder Ähnliches).

Diese Reformen blieben nicht ohne Widerstand. Besonders das Cembalo wurde vielfach abgelehnt. Kritiker hörten einen »Klang aus verschwundenen Tagen«, »wie von Urgroßmutters Klavier«, der an »das enge finstere Mozart-Haus in Salzburg« erinnere.

Um schnelle Verwandlungen zu ermöglichen, nutzten Strauss und der Regisseur Ernst Possart eine bühnentechnische Neuerfindung, die eine fast unterbrechungsfreie Darbietung des Werkes ermöglichte: die von Karl August Lautenschläger entwickelte und in München erstmals eingesetzte Drehbühne. (Erst durch diese zügigen Umbauten war überhaupt eine strichlose Aufführung dem Publikum zuzumuten.) Als durchgängiges Motiv wurde die Wette zwischen den Männern immer wieder in Erinnerung gerufen, sei es im Text oder durch pantomimische Andeutungen. Damit blieb dem Zuschauer jederzeit bewusst, wodurch die Verwicklungen angestoßen worden waren. Neu war vor allem auch die Auffassung – und Betonung – der ironischen Züge von *Così fan tutte*. Die Erkenntnis, dass Mozart mit den Mitteln der Parodie zeigt, wie das Sein und das Wollen der Menschen in seiner Handlung nicht immer im Einklang stehen, war ein wichtiger Schritt zu einem vertieften Werkverständnis. In einer Rückschau von 1910 vermutete Strauss, die verspätete Anerkennung dieser Oper habe ihren Grund darin, dass es den Sängern schwergefallen sei, bei ihrem Bemühen um eine adäquate Mozart-Stilistik auch den »eigentümlich parodistische[n] Stil des Mozart'schen Lustspiels dramaturgisch (…) in der von Ton- und Textdichter beabsichtigten Weise zur Geltung« zu bringen: »Die diesen Stil am schärfsten ausdrückenden Nummern, die Es-Dur-Arie der Dorabella im ersten Akt, die B-Dur-Arie des Ferrando und die G-Dur-Arie des Guglielmo im zweiten Akt, mit großen verbindenden, höchst reizvollen Rezitativen, waren stets gestrichen, man hat sie offenbar rein musikalisch für minderwertig erachtet, während sie doch nach der charakteristischen Seite hin desto interessanter und wertvoller sind.« Für Strauss' Librettisten Hugo von Hofmannsthal blieb die »Schule der Liebenden« allerdings eine Fehlkonstruktion: »Es ist ja fast kein Satz im ganzen Stück ernst gemeint, alles Ironie, Täuschung, Lüge, das kann die Musik nicht ausdrücken (außer ausnahmsweise), und das Publikum hält es nicht aus.« Strauss hingegen sprach noch 1944 von »den überlegenen Ironien von *Così fan tutte*« – einem Wesenszug, der ihm sehr verwandt erschienen sein muss, hat er doch in seinen eigenen Opern oft genug auch ironische Wendungen zum Einsatz gebracht.

Die Produktion der Wiener Hofoper 1900 unter der musikalischen und szenischen Leitung von Gustav Mahler orientierte sich an der Münchner Pioniertat. Auch Mahler setzte die Drehbühne mit spektakulärem Erfolg ein. Allerdings vertraute er ihren Möglichkeiten nicht restlos, während der Szenenwechsel ließ er den Vorhang fallen und

spielte zur Überbrückung Teile aus der Ouvertüre als Intermezzi! Dass er sich trotz kammermusikalischer »Mozart-Besetzung« Eingriffe in die Partitur erlaubte, war für Mahler, als Komponist, kein Sakrileg – für ihn war es selbstverständlich, ja eine Verpflichtung, die Werke älterer Zeit für die Gegenwart wirksam zu machen. Und da sich die Umstände und die Ansprüche ändern, versuchte er den Stücken zu helfen, Schritt zu halten. Womöglich hat Mahler im 2. Akt einige Nummern zu viel gestrichen, jedenfalls wurde seiner Aufführung ein Überhang an Seccorezitativen vorgeworfen. In der Premiere begleitete noch ein Klavier, in der Wiederaufnahme kam dann das Cembalo zum Einsatz. Eine Rokoko-Renaissance lag in der Luft, Mahler hatte gerade seine Sinfonie Nr. 4 vollendet, die den Geist derselben Epoche atmet. Die Beschreibung von Marie Gutheil-Schoders Despina als »eine Kammerzofe von giftigem Verstande, scharfer und spitzer Zunge, jähen Bewegungen, schnellem und nervösem Spiel der Hände« (Max Graf), lässt auf eine harte, illusionslose Interpretation schließen: eine Despina, die sich einem in Wien gewiss nicht seltenen Kammerzofenschicksal entschlossen entgegenstemmt.

Die bahnbrechende Aufführung am (alten) Münchner Residenztheater (Musikalische Leitung: Richard Strauss, Inszenierung: Ernst Possart). Garten am Meer. 2. Akt, 3. Szene. Illustration von Bernhard Kühn.

Mahlers Aufführung wurde als »Marionettenspiel der Liebe« bezeichnet. Das war ein Vorgeschmack auf Tendenzen der 1920er Jahre. Die neue Aufgeschlossenheit gegenüber *Così fan tutte* kam von zwei Seiten: Die Erforschung der Seele durch die Tiefenpsychologie hatte einen neuen Zugang ermöglicht. Und die streng konstruierte Handlung fand einen Widerhall in der Vorliebe für klare, schnörkellose Linien in den maßgeblichen Architekturbewegungen der 1920er Jahre, wie sie sich in den Bau- und Kunstwerken von Bauhaus und Neuer Sachlichkeit ausdrückte. Die Dichotomie des Stückes glich derjenigen der Epoche, in der es wiederentdeckt wurde. Das Spannungsfeld von Gesetz und Abweichung, Linie und Ornament wurde zum besonderen Reiz. Viele Inszenierungen des vergangenen und des jetzigen Jahrhunderts spielen mit einem ganzen Bündel von Gegensätzen: dem Gegensatz von Naivität und Komplexität, von sauber übersichtlicher Konstruktion und Wildwuchs, von weißer Reinheit und unkontrollierbarer Farbe.

Der Dramatiker Ernst Lert hat als einer der ersten vom Musiktheater verlangt, dieselben dramaturgischen Maßstäbe an die Aufführungen anzulegen, wie sie im Schauspiel gelten. Das hat er exemplarisch in seiner noch heute erhellenden Studie *Mozart auf dem Theater* dargestellt. Mit wenigen Federstrichen löst er das damals immer noch störende Scheinproblem auf, das *Così fan tutte* dem vernünftig denkenden Zuschauer aufgibt: Die Schwestern könnten ihre Verlobten gar nicht erkennen, weil nicht ihre »als Dalmatiner verkleideten Bräutigame« vor ihnen stünden, sondern die »ihrem weiblichen Typus entsprechenden Verführertypen«. Nicht die Suche nach einem besonders ausgefeilten Realismus in der szenischen Aufführung führt demgemäß zum Erfolg, sondern die Stilisierung. Die Figuren sind »personifizierte Begriffe«, die Darsteller bleiben dieselben – sie »wechseln nur die Maske«. Und der Kunstgriff des Stückes ist es, diese beiden zusammenzuführen.

Lerts Buch ist die schriftliche Essenz praktischer Erkenntnisse: 1917 hatte er *Così fan tutte* in Leipzig inszeniert, auf einer Bühne, die von einem schachbrettartigen Muster bedeckt war, in dem sich die Darsteller wie Spielfiguren bewegten. Aus dem Kontrast von mathematischer Präzision und menschlichen, unbezwinglichen Emotionen gewann er seinen dramatischen Impuls.

Im dritten Sommer der Salzburger Festspiele, 1922, gehörten erstmals auch Opernvorstellungen zum Programm. Wieder machte sich Richard Strauss für das Werk stark und dirigierte alle drei Da Ponte-Opern. Es handelte sich um Produktionen der Wiener Staatsoper in der Ausstattung von Alfred Roller. Die Festspielaufführungen bilden gewissermaßen das Rückgrat der Mozart-Pflege, und daher ist die Salzburger Aufführungsstatistik besonders aufschlussreich – und überraschend. Bis 1991, dem Jahr von Mozarts 200. Todestag, war *Così fan tutte* die am zweithäufigsten gespielte Mozart-Oper bei den Salzburger Festspielen. Nur *Le nozze di Figaro* kam auf mehr Aufführungen! Damit gehörte die »Schule der Liebenden« in den Salzburger Sommern von Anfang an fest zum Repertoire. Die prägendsten Inszenierungen stammen von Günther Rennert (1960 und 1972) und Jean-Pierre Ponnelle (1969).

Die Frankfurter Neuinszenierung von 1928 (Regie: Lothar Wallerstein, Dirigent: Clemens Krauss) – im Bildteil dokumentiert durch einen Bühnenbildentwurf – war nur die erste in einer Reihe von miteinander eng verwandten Produktionen, die ein ganzes Jahrzehnt der *Così fan tutte*-Rezeption prägten. Ludwig Sieverts Bühnenbilder waren Meilensteine der Mozart-Rezeption; seit 1912 künstlerischer Leiter der Werkstätten für Bühnenkunst in München, wurde er 1918 nach Frankfurt berufen. Schon 1916 hatte er in Mannheim eine farbsymbolische Raumgliederung für eine *Zauberflöten*-Inszenierung versucht. Mit dem Regisseur Lothar Wallerstein realisierte er *Così fan tutte* auch an der Wiener Staatsoper 1929 und bei den Salzburger Festspielen 1931 bis 1936, an der Berliner Staatsoper übernahm 1935 Rudolf Hartmann die Regie, ebenso 1937/1938 in München. Wallerstein versuchte, einen einheitlichen Bewegungs- und Gebärdenduktus zu schaffen, der die Irrealität des Geschehens, das Hypothetische der Handlung hervorhob. Ironie und Eifersucht hoben sich gegenseitig ins »Schwerelose« (Heinz Kindermann), exemplarisch am Beginn des ersten Finales. »Ach, wie bald ist mir entschwunden«, singen die beiden jungen Frauen, auf einem in die Astgabel einer Trauerweide montierten Brett wippend: Auch, was seelisch gefährlich ist, bleibt spielerisch. Lothar Wallersteins Inszenierung wurde damals von Theodor W. Adorno besprochen. Seine kritischen Bemerkungen enthalten den Keim zu einer grundsätzlichen Analyse des Werkes. Es ist die Rede von einer »durchwegs sorgsamen Aufführung, mit sehr anmutigen Bildern von Sievert, hübschen Einfällen von Wallerstein und guten Tempi von Clemens Krauss«. Nicht nur die »spannungslose Durchsichtigkeit der Handlung«, die nur musikalische Extension und die »klangliche Kontrastarmut der Sextettoper« seien verantwortlich für ihre geringe Popularität. »Viel eher wäre zu fragen, ob nicht eben jene Vollkommenheit vom Werke abschrecke, in dessen klarem Spiegel der Hörer sich selbst als sterblich erkennt; ein Weniges an Niedrigem, Papagenohaftem, Leporellohaftem mangelt der

Oper, die Trauer ihrer Vergeistigung durch den Reflex von Wirklichkeit zu versöhnen.«

Die Festspiele von Glyndebourne, dem englischen Opernfestival inmitten grüner Wiesen, wurden 1934 von John Christie ins Leben gerufen. Im ersten Sommer standen zwei Mozart-Opern auf dem Spielplan, neben *Le nozze di Figaro* auch schon *Così fan tutte* – Zeichen für die gestiegene Wertschätzung, die man der noch eine Generation früher stiefmütterlich behandelten Da Ponte-Oper zubilligte. Glyndebourne war von Anfang an als Refugium der Kunst gedacht, wo die Künstler fernab der Metropole und ihrer Hektik maßstabsetzende Interpretationen erarbeiten konnten. Der Eindruck einer Idylle, der sich unmittelbar einstellt, ist dabei zwiespältig. Glyndebourne konnte und kann eine Insel der Seligen sein; für die Künstler der ersten Stunde war es aber auch in ganz hartem Sinne ein Zufluchtsort: Carl Ebert (dramaturgisch-szenische Leitung), Rudolf Bing (künstlerisches Management) und Fritz Busch als Dirigent waren alle wegen ihrer politischen Einstellung oder ihrer jüdischen Herkunft in ihrer deutschen und österreichischen Heimat nicht mehr erwünscht. Die Produktion war auch unabhängig von Eberts Inszenierung bahnbrechend. Ein Jahr nach der Premiere ging das Ensemble ins Tonstudio und zeichnete die erste annähernd vollständige Aufnahme des Werkes auf. Glyndebourne war in Sachen *Così fan tutte* ein Signal. Von jetzt an hatte die Oper ihren festen Platz auf den Bühnen sicher.

Linien der jüngeren Aufführungsgeschichte

Die meisten Missverständnisse schienen nun ausgeräumt. Auch eine in Vergessenheit geratene Theatervereinbarung war nun wieder in ihr Recht gesetzt: Wer sich auf der Bühne verkleidet, ist zwar fürs Publikum weiterhin zu erkennen (und muss es auch sein, sonst versteht man ja nicht, worum es geht), für die anderen Figuren auf der Bühne aber nicht. Nachdem diese Prämisse als uralter »Komödientrick der Verkleidung« (Joachim Herz) wieder akzeptiert war, konnte man sich dem Stück auf einer anderen Ebene nähern. Was ist daran Parodie und was ist Ernst? Wann handeln die Figuren unmittelbar, wann verstellen sie sich? Dafür mussten die Interpreten den Blick hinter die Buchstaben und Töne richten. Am Ende steht für jeden Regisseur die Frage: Glaube ich, glaubt das Stück an die Versöhnung? Seit Mitte des 20. Jahrhunderts scheinen immer mehr Produktionsteams das nicht zu tun. Das *lieto fine*, das glückliche Ende, wird gebrochen. Desillusionierung statt Happy End.

Bis in die 1980er Jahre aber hat die bürgerliche Musikkritik Inszenierungen dieser Oper, die das Stück beim Wort nehmen, Überzeichnung vorgeworfen. Klaus Geitel lastet sozusagen Götz Friedrich an, dass Da Ponte und Mozart Verführung und Fall der Frauen in den Zeitrahmen von 24 Stunden gestellt haben – das sei unmöglich, denn »keine Note Mozarts spricht davon, dass Fiordiligi und Dorabella Flittchen sind – bereit und willens, sich dem ersten Besten im Sturmschritt an den Hals zu werfen.« Das ist ein absurder Einwand, denn die Handlungsdauer ist genauso als Zeichen zu lesen wie die Verkleidung; es handelt sich um eine zuspitzende Komprimierung.

Götz Friedrich hat gleich viermal seine – natürlich dem Wandel der Zeit unterworfene – Sichtweise auf die Opernbühne gebracht. Nach seiner ersten Inszenierung 1962 an der Komischen Oper Berlin hat Friedrich *Così fan tutte* noch in Hamburg, Stuttgart und zuletzt als sein eigener Hausherr 1983 an der Deutschen Oper Berlin erarbeitet. Eine Grundidee war, die Verführung durch eine Theatertruppe spielen zu lassen, mit Alfonso als Impresario, wodurch die Grenze zwischen Bühne und Leben verwischte, eine Verwirrung, die Ulrich Schreiber als »pirandellesk« bezeichnet hat. Ein Detail hat sich ein jüngerer Kollege von ihm gemerkt: Die beiden jungen Frauen spielen mit Puppen, die ihre Verlobten repräsentieren und, dem Gang der Handlung zufolge, irgendwann »abgespielt« haben.

Joachim Herz, wie Götz Friedrich in seiner Anfangszeit ein Felsenstein-Adept, hat sich ebenfalls mehrmals mit der Oper auseinandergesetzt und dabei seine Auffassung revidiert. War es für ihn anfangs ein Stück von notwendiger Enttäuschung, mit der Alfonso die jungen Leute von schädlicher Gedankenblindheit heilt, galt ihm später die Methode des »alten Philosophen« zunehmend fragwürdig. Seine Notate und Essays zu *Così fan tutte*, »jenem großen Maskenspiel der Enttäuschung, das die Ideale der Konvention nicht minder in Frage stellt als die Ideale der Vernunft«, gehören zu den lesenswertesten Äußerungen von Seiten der Mozart-Regisseure.

Harry Kupfer (Komische Oper Berlin, 1984) zeigt seine *Così fan tutte*-Welt als einen Experimentierraum unter einer Glasglocke. Außerdem öffnet er ein Spannungsfeld zwischen den Epochen: Der Rundhorizont zeigt einen Theatersaal aus der Uraufführungszeit, die Bühnenspielfläche entspricht der Zeit der Aufführung. Die Glasglocke hebt sich auf einen Wink Alfonsos, worauf das Spiel – ein »Psycho-Experiment über die Austauschbarkeit menschlicher Gefühle« (Dieter Kranz) – beginnt. Die Bühne Reinhart Zimmermanns gibt dem Raum »den Charakter eines Experimentierlabors: weiße Paravents, Liebesbänke, Bademuscheln, ein Flügel, Sportgeräte, alles mobil angeordnet, mit der Drehung der Scheibe zu neuen Spielorten sich gruppierend, elegant und gleichzeitig steril, Rokoko und gleichzeitig Gegenwart.« Die Kostüme von Eleonore Kleiber verzichten auf die vielerorts üblichen Übertreibungen, weite weiße Mäntel und Turbane sind die ganze Verkleidung, in der die jungen Männer gar nicht so viel anders aussehen als vorher. Das Theaterzeichen genügt.

Seinen Drahtzieher sieht Mozart (nach Kupfers Überzeugung) kritisch, als personifizierten Abschied vom aufklärerischen Idealismus. Kupfer betont die manipulative Strategie, mit der Alfonso »die beiden Männer immer weiter von ihren wenn auch auf tönernen Füßen stehenden ethischen Grundsätzen« weg- und in völlige Verwirrung hinführt, wobei er, den anderen intellektuell überlegen, vor allem seine Eitelkeit befriedigen wolle. Im Einklang damit zeichnet Kupfer (ohne den Witz des Stückes in den spezifisch komischen Szenen zu schmälern!) Alfonsos Experiment als zutiefst inhuman, und daher begehren seine Probanden auch mit allem Recht dagegen auf, für bestimmte Überzeugungen – und seien sie noch so gut gemeint – instrumentalisiert zu werden: »am Schluss, nachdem Alfonso das Experiment möglichst schnell beenden will, weil ihm die Fäden aus der Hand geglitten sind, versuchen die jungen Menschen, sich gegen die herunterfahrende Kuppel zu stemmen. Sie wollen sich nicht mit dieser Lebensphilosophie abfinden«, erläutert der Regisseur. Stattdessen treten sie aus dem Laboratoriumskarussell heraus, verlassen ihre Bühnenwelt und wenden sich an die Zuschauer, schreien dem Publikum fragend und anklagend ihre Verwirrung und Erschütterung entgegen. Der mechanische Rationalismus hat die Aufklärung pervertiert.

Die Inszenierung von Michael Hampe genießt schon ein langes Leben. Zuerst kam sie bei den Salzburger Festspielen 1982 auf die Bühne. Die Premiere war eine Sensation, aber mehr wegen der musikalischen Leitung Riccardo Mutis. Nach Karl Böhms jahrzehntelangem Abonnement auf das Dirigat dieser Oper stand nun ein Musiker am Pult, den man bis dato als für ein ganz anderes Opernrepertoire prädestiniert gehalten hatte und der nun mit einer so sensiblen wie klangsinnlichen Interpretation aufhorchen ließ. Der Beitrag des Regisseurs zeichnete sich durch Zurückhaltung aus. Damit war sie für viele Kulturkreise geeignet und hat sich als sehr langlebig erwiesen, wurde

Rebellion unter der Glasglocke: Die vier Probanden stemmen sich gegen die Existenz, die Alfonso ihnen zumessen will, und flüchten in eine freiere Welt (Inszenierung von Harry Kupfer, Komische Oper Berlin, 1984).

zwischenzeitlich auch in Mailand gezeigt (und dort 1989 wie sechs Jahre vorher in Salzburg fürs Fernsehen mitgeschnitten, beide Aufnahmen sind auf DVD erschienen), eine weitere Variante gab es 2006 in Köln zu sehen. Sein Ansatz, dem Stück nichts von außen aufzupfropfen, mag richtig sein – man würde die Oper, meint er, kaputtinszenieren, wenn man die Handlung um jeden Preis »glaubhaft« machen wolle, indem man sie ins Heute verpflanzt und behauptet, sie könne sich jederzeit wieder so zutragen. Stattdessen inszeniert er ein abgezirkeltes Marionettenspiel, das die Symmetrie des Stückes aufgreift und die typisierten Figuren fast choreografisch miteinander in Aktion treten lässt.

Der große italienische Theatermann Giorgio Strehler hatte sein Lebenswerk, das eigene Theater, Piccolo Teatro, mit *Così fan tutte* eröffnen wollen. Doch die Premiere im Januar 1998 hat er nicht mehr erlebt. Kurz nach Probenbeginn verstarb der Regisseur, seine letzte Arbeit wurde von seinen Mitarbeitern zu Ende geführt. Beim Schlussapplaus nahm ein einsamer Kerzenständer den Beifall des Publikums entgegen, die Flamme flackerte im Luftzug. Schlicht, transparent, klar und einleuchtend, eine »szenische Poesie in Weiß«, so hat es der Kritiker Dieter David Scholz beschrieben. Auch Strehler bevorzugt diese Farbe, die alles offenlässt, braucht außer zwei mobilen Wänden keine Zimmerchen und Gärtchen, sondern nur wenige Sitz- und Liegegelegenheiten, mit dezent historischen Kostümen. Was sonst an Theaterhaftem zu sehen ist, wird zweidimensional scherenschnitthaft angedeutet. Strehler spielt mit dem Theater, jede Mauer kann auch ein Vorhang sein. Die Inszenierung ist skeptisch, aber ohne deprimierendes Ende – denn die Darsteller treten am Schluss wieder aus dem Spiel heraus. Auch diese Aufführung wird bis in unsere Tage lebendig gehalten, zuletzt in einer Wiederaufnahme am Teatro San Carlo in Neapel.

Hans Neuenfels hat bei den Salzburger Festspielen 2000 das Innerste seiner Figuren nach außen gekehrt. In Symbole übersetzt, treten ihre unbewussten und verdrängten Wünsche und Ängste miteinander in Kontakt, alles das, was sonst durch gesellschaftliche Konventionen (oder persönliche Disziplin) gezähmt bleibt, bricht hervor wie vom Rausch geweckt. »In einer surrealen Seelenlandschaft koexistieren verschiedene Aspekte, Lebensalter und Identitäten der Personen, sie selbst als Kind, als Erwachsener, wie giftige Blüten, gemeine Insekten und große Doggen …« (Susanne Vill) Mit solcherart »Chiffren einer Psychoanalyse« sprengt Neuenfels dem Stück alle durch die Rezeptionsgeschichte zugemuteten Verkrustungen krachend weg.

Die Schriftstellerin Doris Dörrie hat sich gleich in ihrer ersten Operninszenierung an *Così fan tutte* versucht (2001 an der Berliner Staatsoper Unter den Linden). Dort lässt sie die Handlung in den 1970er Jahren spielen, unter jungen Leuten, die, von der Hippie-Bewegung infiziert, einer gelegentlichen Bewusstseinserweiterung durch halluzinogene Wirkstoffe aufgeschlossen gegenüberstehen und sich und ihr Zuhause mit Insignien von Flower Power schmücken. Vielleicht geht ihr Blick zu oft aufs oberflächliche Divertissement; in der Grundidee lag zumindest einiges Potenzial: Schon Da Pontes Libretto lebt von der Spannung zwischen konkurrierenden Lebens- und Liebesentwürfen, an der Schwelle zu einem neuen säkularisierten Zeitalter, das einerseits die Ehe zu einer weltlichen Institution macht, ja sogar Ehescheidung erlaubt, und das andererseits zu viel strikteren Moralbegriffen führt. Die Utopie von »freier Liebe« wird von der neuen Bürgerlichkeit hinweggefegt. Ähnliche Widersprüche ließen sich im Kommunenhoch von Sit- und Bed-Ins leicht finden, wenn sich Phasen von Euphorie mit Abstürzen in die vermeintlich überwundene Welt bürgerlicher Sicherheit und Verlässlichkeit abwechseln.

Peter Konwitschnys Inszenierung (Komische Oper Berlin, 2005) präsentiert vereinzelte Gedankenblitze, einen Streifzug durch die Assoziationswelt von Stoff und Musik; von diesen Ideen waren manche witzig, manche schal. Ein bühnenfüllendes Ceran-Kochfeld signalisierte den Erregungszustand respektive die Empfängnisbereitschaft der Versuchsküchenobjekte, und auch hier ist die ungezähmte Natur präsent: Über weite Strecken ist der Hintergrund von einem Urwald à la Henri Rousseau ausgefüllt. Zu den zündenden Einfällen gehört das Duett am Anfang des 2. Aktes: Da packen die Frauen die ihren Verlobten nachempfundenen Puppen, Talismane ihrer Liebe, in Kartons, in sorgender Voraussicht durch Mottenkugeln haltbar gemacht. In ihre Schachteln zurückverbannt, sind die mahnenden Kuschelmänner so aus den Augen, und der Sinn darf sich nun dem neuen Vergnügen widmen. Dass Konwitschny keine »Lösung« anbietet, war zu erwarten; der Kunstgriff, an einem kritischen Punkt der Handlung aus der Musik aussteigen und seine Darsteller über den Ausgang des Stückes miteinander diskutieren zu lassen (u.a. mit dem Vorschlag, Ferrando und Guilelmo sollten einander heiraten), glückte nicht im selben Maße wie bei den Hamburger *Meistersingern* einige Jahre zuvor. Musikalisch bewies die von Kirill Petrenko dirigierte Aufführung, dass auch »live« eine komplett ungestrichene *Così fan tutte* abwechslungsreich genug sein kann.

Das Festival von Aix-en-Provence hat eine lange Verbindung mit *Così fan tutte*: Das Stück stand fast von Anfang an auf dem Spielplan, schon 1950 wurde es dort gespielt. Die vierte Inszenierung in der Cézanne-Stadt aber war etwas Besonderes: Patrice Chéreau, der Regisseur des Bayreuther Jahrhundert-*Rings,* zeigte im Jahr 2005, dass er auch mit Mozarts Kammerspiel etwas anfangen kann. Kaum ein halbes Dutzend Opern hatte er bis dahin inszeniert, entsprechend groß waren die Erwartungen an diese Koproduktion mit der Opéra national de Paris (Salle Garnier) und den Wiener Festwochen. Das Geschehen ist in einen etwas heruntergekommenen, italienischen Theaterinnenhof verlegt. »Vietato fumare«, Rauchen verboten, steht in großer Schrift auf der hinteren Mauer. Man darf es auch lesen als Warnung, etwas Gefährliches zu tun. Ob die in Kostümen der Mozart-Zeit auftretenden Sänger Mitglieder des Theaterensembles sind, von ihrer Aufführung kommen, das Spiel im »richtigen Leben« backstage fortsetzen, das bleibt in der Schwebe. Die Bühne auf der Bühne ist nicht sichtbar, dafür ist das Spiel in den Zuschauerraum hinein erweitert. Vor dem letzten Terzett überschreiten die jungen Männer eine Brücke über den Orchestergraben auf die Bühne; Alfonso bleibt noch im Auditorium, und beim Abschluss der Wette kehren die jungen Männer zurück. Mehrfach wird die Theatersituation einbezogen und zitiert: Scheinwerferspots erhellen einzelne Punkte, Statisten räumen wie Bühnenarbeiter ständig Möbel und Requisiten hin und her, die Barke ist ein Flugwerk.

Auch Chéreau reduziert. Eine »minuziös ausagierte Choreografie der taumelnd Liebenden« (Claus Spahn) ist zu erleben, ständig zwischen Vorsicht und Verlangen hin und her schwankend, mal attackierend, mal zurückweichend, in einsamer Verlassenheit oder nervösem Zusammenbruch sich zusammenstauchend. Chéreau füllt die Leere präziser als die meisten anderen Regisseure. Nachdem Fiordiligi standhaft geblieben ist, muss Dorabella ein wenig schlucken – die Rechtfertigung für ihr schnelles Nachgeben fällt ihr gar nicht so leicht, zu ihrer Arie *È amore un ladroncello* muss sie sich erst einmal durchringen. In Fiordiligis Rondò *Per pietà* prägt nicht nur das Bedauern des Treuebruchs den Ton ihrer Klage, sondern »die tiefe Trauer eines endgültigen Abschieds« (Spahn): ein Abschied von der alten Liebe, zu der es kein Zurück mehr gibt. Im zweiten Finale scheinen die Frauen vollends durcheinander und tragen bei der Hochzeitszeremonie ernste Zweifel in sich. Kaum kommt ein Diener mit einem Tablett samt Getränken, greift sich Dorabella ein Glas Wein, um ihre Zweifel zu ertränken; Fiordiligi tut es ihr sogleich nach. Es ist offenbar, dass allen drei Paaren etwas widerfahren ist, mit dem sie nicht gerechnet haben. Der Schock sitzt tief, und eine Rückkehr zum »Normalzustand« wird, wenn er überhaupt möglich sein sollte, lange dauern.

Ein Festspiel-Ereignis aus Aix-en-Provence: Patrice Chéreaus traumhaft-tiefe Inszenierung mit einem fantastischen Sängerensemble: Fiordiligi: Erin Wall, Dorabella: Elīna Garanča, Ferrando: Shawn Mathey, Guilelmo: Stéphane Degout, Despina: Barbara Bonney, Alfonso: Ruggero Raimondi; Mahler Chamber Orchestra, Dirigent: Daniel Harding (2005)

Sven-Eric Bechtolf hat in seiner Zürcher Produktion (2009) Alfonso als Naturforscher dargestellt. Das erste Bild zeigt seine Sammlung von wissenschaftlichen Exponaten: ausgestopfte Tiere, aufgespießte Insekten, Schädelknochen, Metronome, Globus, Lösungen und

Tinkturen (ein Fläschchen ist als giftig gekennzeichnet und taucht an entsprechender Stelle später wieder auf), Zeichnungen, Schnittmodelle des menschlichen Unterleibs, Senkblei, Bücher, Vogeleier – das Sortiment des Aufklärers, der sich mehrmals in hässlicher Weise als misogyn erweist. Die Kostüme zitieren stilisiert die Mozart-Zeit, die Offiziere suchen in ihrem uniformen Weiß nach ihrer bislang mangelnden Individualität. Ein zweites Bild, ein viel größerer weißer Raum mit einem hohen grünen Strauch in der Mitte, bietet dann die Szene für den Rest der Handlung. Die Mädchen stehen von Anfang an in einer gewissen Konkurrenz, zeigen sich genervt von der Schwärmerei der anderen. Die »Einstudiertheit« der in der *Felsenarie* geäußerten Prinzipien wird bloßgestellt, indem der Anfangstext in großer Schrift auch in Dorabellas Skizzenbuch geschrieben ist: Was Fiordiligi da singt, ist also etwas vielfach Geübtes oder zumindest vorher schon Formuliertes. Ferrandos *Un'aura amorosa* wird zum Katalysator für Alfonsos unterdrückte eigene Gefühle, und er reißt die andächtig lauschende Despina leidenschaftlich an sich. Ob es für die Tiefe der menschlichen Erfahrung förderlich ist, dass Despina im 2. Akt die Frauen mit Hilfe von Alkohol animiert und Fiordiligi und vor allem Dorabella sich beschwipst ins Abenteuer stürzen, ist allerdings fraglich – denn die Spannung erwächst doch vor allem daraus, dass die Frauen im Vollbesitz ihrer geistigen Kräfte den Flirt der Männer aufgreifen.

Für fast alle jüngeren Interpretationen scheint eine Einigkeit zu bestehen: Alfonsos Methoden sind fragwürdig. Sein Ziel mag richtig sein, doch ob die jungen Leute mehr gewinnen als sie verlieren, ist zweifelhaft. Die scheinbar so gewaltsam wiederhergestellte frühere Ordnung ist dubios, eine Wiederkehr in die Paarbildung des Anfangs nicht vorstellbar. Christof Loy ist einer der wenigen, der dem allgemeinen Misstrauen misstraut. In seiner Inszenierung an der Oper Frankfurt (2008) hat er es gezeigt. Die Rückkehr der Verlobten zueinander ist für ihn nicht undenkbar, und er hat dafür gute Gründe aus dem Stück herausgelesen. Dafür hat Herbert Murauer ihm ein weißes, flaches Bühnenbild gebaut. Die Inszenierung entstand in einer Zeit, in der Loy versucht hat, alles Äußerliche weitgehend zu reduzieren; hier hat er das Weglassen auf die Spitze getrieben. Nicht ein einziges Möbelstück spielt mit, nur die allernötigsten Requisiten sind erlaubt. Der Raum wirkt wie ein Vergrößerungsglas, er lenkt die Aufmerksamkeit des Zuschauers ganz auf die Darsteller und verdeutlicht jede ihrer Regungen. Die können auch mal dem Wortlaut und der Tradition scheinbar entgegengesetzt ausfallen. Dorabellas »Lass mich allein!«

vor ihrer ersten Arie ist eigentlich an Despina gerichtet, die sich nach dem Grund für ihre Verzweiflung erkundigt. Diese Erregung, oft als unangemessen oder gar vorgetäuscht bezeichnet, ist hier echt, und das zeigt sich in Dorabellas blinder Qual. Sie schickt nämlich ihre eigene Schwester weg. Für den fallenden Felsen in Fiordiligis *Felsenarie* hat Loy ebenfalls eine szenische Entsprechung gefunden, die auch mit der Arienform spielt. Nachdem die junge Frau mit Vehemenz die Männer in die Flucht getrieben hat und allein zurückbleibt, sinkt sie entkräftet zu Boden, fällt buchstäblich in sich zusammen. Aber sie nimmt ihren Sieg nicht wahr. Stattdessen fängt sie mit der Reprise wieder »von vorne« an. Das entgeht den lauschenden Männern nicht. Hier stimmt etwas nicht, merken sie, und tasten sich neuerlich heran – zur steigenden Panik Fiordiligis. Im Duett von Dorabella und Guilelmo wird erregt geflirtet bis zu dem Punkt, wo man sich eigentlich gegenseitig die Kleider vom Leib reißen müsste. Aber im letzten Moment, mit dem Orchester-»Nachspiel«, läuft Guilelmo einfach weg: weil ihm buchstäblich schlecht wird beim Gedanken, was er da gerade angerichtet hat, nicht nur mit den Gefühlen Dorabellas und mit der Ehre seines Freundes Ferrando, sondern vor allem mit seinen eigenen Empfindungen. Diese Lesart unterschlägt nicht die unbestreitbare Chemie zwischen den beiden Figuren, geht aber auch nicht einer unimaginativen Eindeutigkeit in die Falle. Guilelmo, das macht die Inszenierung klar, hängt an Fiordiligi. Das erotische Abenteuer mit Dorabella ist zwar reizvoll, aber im Innersten ist er davon nicht berührt. Als schließlich Fiordiligi ihn betrügt, ist die neue Eroberung für ihn überhaupt kein Trost. Die Annäherung von Ferrando und Fiordiligi findet unter anderen Voraussetzungen statt: Beide sind verwundet, fallen sich in die Arme »wie zwei verletzte Tiere (…), die sich gegenseitig ihre Wunden lecken« (Loy). Sie suchen Trost und meinen eine neue Liebe zu finden. Der Ansicht, Mozart habe in den beiden Duetten musikalisch die »richtigen« Paare vorgeführt, setzt diese Aufführung eine differenziertere Betrachtung entgegen. »Mir scheint es viel spannender zu erzählen: Es gab da diesen Moment mit einem anderen Partner, aber man kann diesen Vorgang auch als quasi kathartische Erfahrung sehen und sich dann wieder dem ursprünglichen Partner mit einer ganz anderen Form von Hingabe, Gelassenheit und Ruhe des Geistes zuwenden. Das ist natürlich eine Utopie. Und Mozart ist klug genug, mit quälenden Fermatenpausen im Schlussgesang uns darauf hinzuweisen, dass es sich eben nur um ein Wunschdenken handelt.« So nimmt Loy auch die oft ironisch gebrochenen Schlusszeilen der Oper wieder wörtlich

Das Hereinbrechen der Natur

Die Spannung aus Gepflogenheiten menschlicher Zivilisation und ungehemmtem Begehren, der Gegensatz aus Gesetz und Freiheit steht im Mittelpunkt des Werkes. Viele Inszenierungen haben dafür das Zeichen der Natur gefunden, die in ein geordnetes, kultiviertes, steriles Ambiente eindringt – wenn auch an ganz verschiedenen Stellen der Oper. Drei Beispiele: Der junge Regisseur Roland Schwab lässt (am Meininger Theater, 2001) im Finale I erst den beiden Damen in immer größeren Ausführungen präsentierte Ficus-Pflanzen als Geschenke aufdrängen und sie mit den Bäumchen geradezu durch das weiße, zweigeschossige Bühnenbild jagen, bevor, direkt vor der »Konversationsszene« im 2. Akt, die aus Papier gefertigte Rückwand des Raumes unter Donnergrollen von einem gigantischen, um 90 Grad in die Vertikale gekippten Urwald – einem surrealen Monumentalbild – zerfetzt und durchbrochen wird. Sämtliche Illusionen werden damit zur Seite gedrückt, und die darauffolgenden unbeholfenen Sätze über hübsche Bäumchen und Büsche gewinnen ungeahnte komische Fallhöhe. In Herbert Murauers ebenfalls weißem Bühnenbild zu Christof Loys Inszenierung (Oper Frankfurt, 2008) öffnet sich während der Serenade zu Beginn des 2. Aktes, also dem Auftakt zum neuerlichen Verführungseinsatz, rätselhaft und unmerklich langsam ein Spalt in der Rückwand und gibt den Blick auf einen idyllisch illuminierten Olivenbaum frei. Der Ausschnitt verschiebt sich über die Dauer einer knappen Viertelstunde um etwa zwei Meter nach links, bleibt während des ganzen Duetts von Dorabella und Guilelmo geöffnet und beginnt sich erst in Fiordiligis Rondò wieder ebenso unmerklich zu schließen, als würde sie mit der Kraft ihrer Gedanken diesen Übergriff auf ihre Gefühle zurückdrängen, die Gefahr bannen. – Auch bei Claus Guth (Salzburger Festspiele, 2009) bildet das modernistische weiße Innere einer Architektenvilla den Raum, der sich durch den (auf ein Signal von Alfonso im Eingangs-Andante des ersten Finales) hochfahrenden rechten Teil der Rückwand in einen kleinen Nadelwald bühnenportalhoher Fichten erweitert. (Die beiden Männer drohen das Wäldchen gleich wieder abzufackeln, denn das Gift, das sie schlucken, trinken sie aus Benzinkanistern.) Neben dem Hinweis auf die Naturkräfte, die nun auf alle Beteiligten wirken, ist der Wald auch ein kleines Selbstzitat innerhalb des von diesem Regieteam inszenierten Da Ponte-Zyklus: Es ist derselbe, der im Vorjahr die Szenerie zu *Don Giovanni* gebildet hatte.

und liest das Stück als kathartische Erfahrung für seine Figuren. Loy, der die grundlegende Sehnsucht der Menschen in einem Wunsch nicht nach Freiheit, sondern nach Sicherheit lokalisiert, steht damit in einem bemerkenswerten Gegensatz zur Auffassung von Harry Kupfer. Es scheint, als wäre in der Interpretationsgeschichte von *Così fan tutte* doch noch viel Spielraum.

Rettungsversuch mit Tradition

Nicht nur in »vergangenen Jahrhunderten« (wie Don Alfonso das gezierte Verhalten der Liebhaber kommentiert) haben die beiden »Probleme« der Handlung – Unglaubwürdigkeit der Verkleidung und Frauenfeindlichkeit des Textes – die Theatermacher herausgefordert. Bei den Salzburger Osterfestspielen 2004 hatte die Inszenierung von Karl-Ernst und Ursel Herrmann Premiere. Ihre Grundidee klingt verführerisch: Was wäre, wenn die beiden Frauen zufällig die Verabredung der Männer belauschten – und sich entschieden, das Spiel mitzuspielen? In dieser Aufführung wissen Fiordiligi und Dorabella also, dass mit ihnen fauler Zauber getrieben werden soll, durchschauen mithin auch sofort die Verkleidung. Im ersten Finale ist Dorabella zwar kurz irritiert – ist das noch Spiel? –, kostet heimlich von dem »Gift« und sieht sich bestätigt: alles nur Talmi. Doch trotz oder gerade wegen ihres Wissens um die Intrige fühlen sich die Frauen allzu sicher – und diese Selbstsicherheit lässt sie mit ihren eigenen Gefühlen leichtsinnig umgehen. In manchem Seitenblick zeigt sich die Vorfreude darauf, irgendwann den Spieß umzudrehen. Aber sie haben die Rechnung mit einer großen Unbekannten gemacht. Früher als üblich beginnen sich die Frauen mit den »neuen« Partnern zu identifizieren. Fiordiligi lauscht dem Liebeshymnus Ferrandos *(Un'aura amorosa)* und ertappt sich bei träumerischen Gedanken. Und der Moment, da der vermeintliche Informationsvorsprung der Frauen ins Gegenteil umschlägt, wird erkennbar gemacht in Fiordiligis Vorstoß, mit Ferrando und nicht mit ihrem eigenen Verlobten spazieren gehen zu wollen: denn das, nicht verabredet, wirft Dorabella völlig aus der Bahn und macht sie umso empfänglicher für Guilelmos Verführung. Dorabellas »leichtfertige« Arie *È amore un ladroncello* schlägt um in eine Anklage gegen die Männer – aus Verzweiflung über sich selbst und die Entdeckung der eigenen Schwäche.

Allerdings werden diese subtilen Wendungen durch den Aufführungsort fast unkenntlich gemacht: Auf der Riesenfläche des Großen Festspielhauses agieren die sechs Figuren wie verloren, zudem wird die visuelle Aufmerksamkeit durch das extrem reduzierte, auf wenige Objekte beschränkte Bühnenbild absorbiert. Sein »irisierendes Farbenspiel« (Ulrich Schreiber) wird unter anderem von einem überdimensionierten Ei und abgrenzenden Paravents beherrscht (vgl. dazu das Umschlagbild dieses Buches). Statt innerer Konflikte erlebt der Zuschauer so ein stilisiertes, steriles, abgezirkeltes Ritual. Weit spannender ist die Besetzung der Kammerzofe mit Helen Donath. »Reife« Despinas gibt es gelegentlich, aber hier ist sie in einem Alter, das (so landläufig wie irrtümlich) nicht mehr mit erotischen Ambitionen in Verbindung gebracht wird, woraus die Regie hier manche Funken schlägt.

Ihre konzeptionelle Grundidee hatte das Regisseurehepaar länger mit sich getragen und sie vorab einem jungen Regisseur überlassen: Mit »offizieller« Genehmigung von Ursel und Karl-Ernst Herrmann stützte sich Hinrich Horstkotte mit dem Ensemble Inboccallupo Anfang 2001 im Berliner Saalbau Neukölln auf die Konstruktion einer konsequent doppelten Intrige: Die Frauen durchschauen das Verwechslungsspiel der Männer von Anfang an, verstellen sich ebenso wie diese und führen die vermeintlichen Verführer selbst hinters Licht.

Irisierendes Farbenspiel und doppelte Intrige in der Inszenierung von Ursel und Karl-Ernst Herrmann: Fiordigili: Ana María Martínez, Dorabella: Sophie Koch, Ferrando: Shawn Mathey, Guilelmo: Stéphane Degout, Despina: Helen Donath, Alfonso: Sir Thomas Allen; Wiener Philharmoniker, Dirigent: Manfred Honeck (2006)

Tatsächlich kann der Regiekniff auf eine lange Geschichte zurückblicken: Zumindest das Mithören der Wette hat eine Tradition, die fast 200 Jahre zurückreicht. Schon im Jahr 1825 hat ein Rezensent der *Berliner Allgemeinen Musikalischen Zeitung* vorgeschlagen, auf diese Weise eine Ehrenrettung der »Damen« zu erreichen: Man könne »zur Rechtfertigung der weiblichen Treue noch eher annehmen, die beiden Geliebten erkennen ihre verkleideten Liebhaber und täuschen diese nur durch scheinbaren Wankelmut«. Zehn Jahre später wurde am Königlichen Theater zu Berlin mit der Bearbeitung von Karl August von Lichtenstein versucht, auf diese Weise die – dem Publikum anders nicht zumutbare – weibliche Untreue aufzuheben. Despina verrät den Inhalt der Wette vorzeitig. Ein Kritiker der *Berliner Allgemeinen Musikalischen Zeitung* wies auf die Grenzen dieses Kniffs schon damals deutlich hin: »So hat die Moral zwar gewonnen, allein der Scherz wird matter; das Ganze ist doch nur ein heiteres Spiel frivoler Laune. Wie könnten die beiden Mädchen sonst wohl Despina, ihre eigene Zofe, nicht erkennen und für den Medicus halten?« (Mit »Spiel« ist hier »Theater« gemeint, auf dem die Geschichte nur dann funktioniert, wenn man ihre Voraussetzung akzeptiert, dass nämlich die verkleideten Personen nicht erkannt werden.) Manch andere Fassung, ob von Louis Schneider (Berlin, 1846) oder Eduard Devrient (Karlsruhe, 1860), variiert diese Konstruktion.

Den Preis für diese Sicht, die dem Stück den vermeintlich misogynen Stachel zieht, zahlt die Musik: Die von Mozart in so langem Bogen aufgespannte Entwicklung Fiordiligis wird empfindlich beschädigt, »weil sie zu der musikalischen Charakteristik des zweiten Aktes nicht passt. Die Mädchen müssen jetzt nur affektieren, nur zum Scheine äußern, was Mozarts Musik im vollen Ernste meint.« (Eduard Hanslick)

Indem Karl-Ernst und Ursel Herrmann die Frauen im Verlauf des Stückes zunehmend in den Sog des Verführungsspiels hineinziehen, umgehen sie diesen Nachteil. So sind nur die – ohnehin schon parodistisch grundierten – Arien der Frauen im 1. Akt umgedeutet, die Verzweiflung Fiordiligis im 2. Akt erscheint bereits wieder »echt«.

Auch Michael Haneke hat bei seiner Inszenierung am Teatro Real in Madrid (Februar 2013) – nach *Don Giovanni* in Paris erst seine zweite Operninszenierung – den Kunstgriff angewandt. Die Frauen bekommen von Anfang an mit, wie man sie hinters Licht führen will. Aber das bewahrt sie nicht davor, sich in den Fallstricken der Emotionen zu verfangen. Im Gegenteil: Haneke inszeniert eine Reise vom Hellen ins Dunkle. Der Übermut der Frauen – die sich anfangs kaum halten können vor Lachen – verschärft nur die Sprengkraft des Aufeinanderprallens von Komödie und Tragödie, von Tag zu Nacht, von Gewissheit zu Verlorenheit. Den Weg müssen alle sechs Personen gehen, auch Alfonso und Despina, die hier ein Ehepaar sind, dessen Liebe lange brüchig geworden ist.

Im Programmheft stellt Haneke einen kleinen Fragenkatalog ans Stück (bzw. seine Inszenierung): »Warum hat denn der reiche Herr Alfonso nur diese Despina geheiratet, wo sie doch eine Immigrantin ist und 20 Jahre jünger ist als er? Warum glaubt er denn, dass sie ihn betrügt? Warum muss er sie denn demütigen? Warum muss sie ihn denn demütigen? Warum ist Despina denn so traurig? Warum sind die Burschen denn ihrer Mädels so sicher? Warum sind denn die Mädels des-

Michael Haneke über *Così fan tutte*

»Ich glaube, dass man an großen Komponisten und großen Werken, wie Mozart sie geschrieben hat, nur scheitern kann. Man kann nicht erfüllen, was er uns vorgibt. Es stellt sich nur die Frage, auf welchem Niveau man scheitert … (…) Wenn man zwischenmenschliche Beziehungen beschreibt, und das macht *Così*, dann ist man mitten im Bürgerkrieg, wie ich ihn verstehe. Bürgerkrieg bedeutet für mich nicht der Kampf von Klassen gegen Klassen oder das Austragen sozialer Konflikte. Mit Bürgerkrieg meine ich den täglichen Kleinkrieg zwischen dir und mir, mir und dir. Die Verletzungen, die wir uns dabei zufügen, sind die Wunden, die dazu beitragen, dass es zu großen Kriegen kommt.«

halb so sauer? Warum sind denn alle so verzweifelt, so verbissen und stolz?« Der von Christoph Kanter entworfene Raum für die Antwortsuche zieht die Zuschauer in die »unentwegten Wirrungen, Verkleidungen und Täuschungen« dieser Oper hinein. Architektur und Kostüme legen verschiedene Zeitebenen übereinander – da ist das ländliche, marmorsatte Anwesen aus dem 18. Jahrhundert mit seiner kontrastierenden modernistischen Designerausstattung, barocke Roben wechseln sich mit heutigen Anzügen ab, warme Watteau-Farben weichen kaltem Neonlicht der Spiegelbar. Haneke »will die Tragödie um jeden Preis, Arien der Selbstzerfleischung, klinisch durchchoreografierte Ensembles« (Christine Lemke-Matwey). Wenn die Identitäten zwischen den Zeiten und Räumen zu schweben beginnen, zeigt die Aufführung »Stärke, ja Härte«. Das Komische wird dem Dramma giocoso damit ziemlich ausgetrieben, die komödienhaften Elemente wie der handfeste Humor der Despina-Partie wirken verschattet. Dorabellas Wandlung bleibt unterbelichtet, indem ihre zweite Arie gestrichen ist. Am Schluss herrscht die größtmögliche Verunsicherung. Das Drama einer Ehehölle zwischen Despina und Alfonso wird vorgeführt, eine wirklich vergiftete Beziehung, bei der selbst hinter den gegenseitigen Demütigungen und Verletzungen noch das Begehren zu spüren ist, das sie einstmals vereint hat. Dass beide gleichermaßen enttäuscht sind über den Verlust ihrer Liebe, verknüpft sie umso fester zu Komplizen bei ihrem hinterhältigen Spiel mit den naiven jungen Leuten.

Die Oper im Zeitalter ihrer technischen Reproduzierbarkeit

»Così fan tutte« auf CD

In den mittlerweile achtzig Jahren Aufnahmegeschichte sind über fünfzig Einspielungen von *Così fan tutte* entstanden, von denen nicht wenige gut und empfehlenswert sind. Dabei ist das Werk gar nicht so sehr für die Vermarktung auf Tonträger prädestiniert: Als Ensemblestück verweigert es sich gegen einen Missbrauch zu Marketingzwecken, als Starvehikel ist es unbrauchbar.

Es ist nicht leicht, *Così fan tutte* zum Leben zu bringen, wenn man auf die Bühne verzichten muss. Das dürfte auch der Grund dafür sein, dass unter den verfügbaren Aufnahmen die Livemitschnitte meist überzeugender sind als die Studioproduktionen. Fast alle stilbestimmenden Mozart-Dirigenten des 20. Jahrhunderts sind mit Aufnahmen vertreten, von klanglich poliert bis »historisch« aufgeraut, von stark gekürzt bis restlos vollständig reicht die Palette; ob Aufführungsatmosphäre oder Studiosound, es ist alles dabei.

Die erste Schallplatteneinspielung

Fiordiligi: Ina Souez, Dorabella: Luise Helletsgruber, Ferrando: John Heddle Nash, Guilelmo: Willi Domgraf-Fassbaender, Despina: Irene Eisinger, Alfonso: John Brownlee; Orchester des Glyndebourne Festivals, Dirigent: Fritz Busch (1935)

Schnell, aber nicht überhetzt, schnörkellos, aber nicht trocken: Fritz Busch hat überwiegend jung klingende Stimmen um sich geschart, seine Einspielung strahlt trotz aufnahmetechnischer Grenzen die Lebendigkeit einer Vorstellung aus, bietet schnelle Wechsel und Kontraste, überall spürt man das Bewusstsein, den Geist – nicht den Buchstaben – einer Theateraufführung für die Schallplatte nachzubilden.

Neben dem ersten Tondokument stechen zwei frühe Livemitschnitte heraus, die interpretatorisch noch heute die Messlatte hoch legen: der von Hans Rosbaud beim Festival von Aix-en-Provence und der von Guido Cantelli aus der Mailänder Scala. Auch wenn der Rundfunkmitschnitt aus Südfrankreich knistert, knackt und knattert, genießt er seinen Status unter Mozart-Liebhabern zu Recht. Mit *Così fan tutte* – damals in Frankreich kaum bekannt – wurden schon die ersten Festspiele im Jahr 1948 eröffnet. Hans Rosbaud stand damals wie auch beim Mitschnitt neun Jahre später am Pult: eine pulsierende Aufführung, deren trockener Tonfall bestens zur sezierenden Tendenz des Stücks passt. In den sagenhaft schnellen Rezitativen sprudelt es nur so, in den Arien ist das Tempo teils gebremst. Teresa Berganzas Dorabella scheint in *Smanie implacabili* von einer Depression befallen, so schwer schreitend hat sie an ihrem Gram zu schleppen. Ganz anders Guilelmos *Donne mie*: Hier wird die Zwangslage eines Mannes, der unmöglich die richtigen Worte finden kann, um seinen besten Freund zu trösten, sich fast verhaspelt und am liebsten wegrennen würde, plastisch. Auch Teresa Stich-Randalls Fiordiligi klingt dank ihres verinnerlichten Rondòs lange nach. Trotz kleiner Lapsus im Zusammenspiel und reichlich Nebengeräuschen ist Rosbauds Interpretation heute noch eine der überzeugendsten Aufnahmen von *Così fan tutte.*

Frühe Livemitschnitte

Fiordiligi: Teresa Stich-Randall, Dorabella: Teresa Berganza, Ferrando: Luigi Alva, Guilelmo: Rolando Panerai, Despina: Mariella Adani, Alfonso: Marcello Cortis; Orchestre des Concerts du Conservatoire de Paris, Dirigent: Hans Rosbaud (1957)

Fiordiligi: Elisabeth Schwarzkopf, Dorabella: Nan Merriman, Ferrando: Luigi Alva, Guilelmo: Rolando Panerai, Despina: Graziella Sciutti, Alfonso: Franco Calabrese; Orchestra del Teatro alla Scala di Milano, Dirigent: Guido Cantelli (1956)

Otto Klemperers Einspielung ist ein Experiment in Langsamkeit. Hier wird jede Note, jede Silbe ernst genommen, die leiseste Andeutung zur Zentnerlast. Das ist für die Sänger nicht immer leicht, gelegentlich spürt man, dass sie ihre Stimmen am Zügel halten müssen, damit sie ihnen nicht weglaufen. Das Spannende ereignet sich dann zwischen den Tönen. Innerhalb des langsamen Grundtempos schafft Klemperer raffinierte Rubati schon in der Ouvertüre, und dank des phänomenalen Sängersextetts wird die Übung zur hypnotischen Erfahrung. Natürlich, manchen Nummern tut das langsame Tempo besser als anderen; Dorabellas *È amor* verliert viel Funkeln dabei, *Soave sia il vento* hingegen wird zum magischen Innehalten. Was beim Timing der komischen Szenen an Grenzen stößt, lässt den Kanon im Finale des 2. Aktes wie einen direkten Vorläufer von Beethovens *Fidelio*-Kanon klingen: an Tiefe kaum zu überbieten.

John Eliot Gardiner hat einen Interpretationsstil geschaffen, der so hochvirtuos wie perfektionistisch war, dabei alles andere als glattgebügelt, sondern von sportiver Straffheit, tendenziell unterkühlt, aber im Bestreben, die Musik zum Sprechen zu bringen und keine »Auffassung« in den Vordergrund zu stellen. Die Aufführungen in Ferrara, auf denen die CD basiert, hat Gardiner sogar selbst inszeniert, und der Mitschnitt atmet die Bühnenatmosphäre. Gleich zu Beginn kommen szenische Elemente zum Tragen, wenn im Anschluss an die Ouvertüre die drei Männer (mit dazuerfundenem Text) miteinander streiten und damit einen nahtlosen Übergang zur Opernhandlung schaffen. Diese Lebendigkeit prägt die ganze Aufnahme.

Der eigenwillige Alte
Fiordiligi: Margaret Price, Dorabella: Yvonne Minton, Ferrando: Luigi Alva, Guilelmo: Geraint Evans, Despina: Lucia Popp, Alfonso: Hans Sotin; Philharmonia Orchestra, Dirigent: Otto Klemperer (1972) EMI

Die Einspielung von René Jacobs ist derzeit vielleicht das Beste, was die Schallplatte in Sachen *Così fan tutte* zu bieten hat. An der Sensibilität, mit der er seine Solisten begleitet, zeigt sich, dass er früher selbst eine veritable Sängerkarriere durchlaufen hat. Die Konsequenz, mit der er seine oft ungewöhnlichen Vorstellungen realisiert, zeigt

Vom Klavier zum Cembalo – und fast zurück

Die Einspielungen von *Così fan tutte* reflektieren auch, wie rapide sich das Verständnis vom »richtigen« Mozart-Musizieren gewandelt hat. Klanglich fällt besonders der Umgang mit den Rezitativen und den dabei benutzten Begleitinstrumenten ins Ohr. Während die Dirigenten der frühesten Tondokumente die Generalbass-Stimme vom Klavier spielen ließen, wurde es bald vom scheinbar »historischen« Cembalo verdrängt. Erst mit dem Aufkommen der Historischen Aufführungspraxis gingen die Interpreten dazu über, das Hammerklavier einzusetzen, den Vorläufer des modernen Flügels. Der Klang des späten 19. und frühen 20. Jahrhunderts war gar nicht so weit weg vom »richtigeren« Klang der Originalinstrumente. Die aufführungspraktische Forschung dürfte auch in Zukunft noch neue Erkenntnisse gewinnen. Aber niemand kann vorhersagen, wie sich das Empfinden der Musiker und Hörer entwickeln wird, was wir in zehn oder zwanzig Jahren als richtig oder falsch bzw. angemessen oder verfehlt ansehen werden. Beim »definitiven« Mozart wird man zum Glück nie ankommen.

wiederum, wie gründlich er seine Einspielungen vorbereitet, meist mit Aufführungen oder Tourneen, die den Aufnahmesitzungen vorausgehen. Jede Koloraturverzierung ist ohrenfällig geprüft und bewährt – so können Véronique Gens und Bernarda Fink in ihrem ersten Duett ihre vokalen Ausschmückungen sogar zweistimmig zum Leuchten bringen und außerdem den Unterschied zwischen langsamem und schnellem Teil wirkungsvoll zuspitzen. Schon die Ouvertüre wird geprägt durch die Suche nach dem emotionalen Extrem, die sich nicht nur in ihren großen Tempokontrasten niederschlägt. Grundsätzlich ist die Variabilität in Tempo, Dynamik und Charakter hoch. Phänomenal ist auch Jacobs' Gespür für Verzögerungen, zu hören in der so subtil wie deutlich herausgearbeiteten Wendung nach g-Moll im drittletzten Takt von *Al fato dàn legge*. Das langsame Tempo im Quintetto Nr. 8a ist erfüllt vom Stillstehenwollen. Den Aufruhr der Gefühle »inszeniert« Jacobs fulminant in den Schlussteilen der größeren Nummern – zum Beispiel im Finale I, das rasend schnell und trotzdem ganz leicht musiziert ist. Die Taktschwerpunkte werden wie ein Trampolin genutzt, die Koloraturen locker herausgeschleudert, während das Orchester mit peitschenden Synkopenakzenten dreinfährt. Wenn die Musik in Fiordiligis Rondò wenige Takte vor dem Schluss – mit der Wendung nach Moll und der Wiederholung der Kadenz in Dur – zur Ruhe zu kommen scheint, sich dann aber ein letztes Mal verzweifelt aufbäumt, sieht man geradezu die Gedanken im Kopf Fiordiligis sich sammeln, sich setzen, sich neu ordnen – um dann explosionsartig aus ihr herauszubrechen. In jedem Augenblick erfüllt, ist diese Aufnahme für eine Studioproduktion von überwältigender Intensität.

»Historisch informiertes« Musizieren

Fiordiligi: Amanda Roocroft, Dorabella: Rosa Mannion, Ferrando: Rainer Trost, Guilelmo: Rodney Gilfrey, Despina: Eirian James, Alfonso: Carlos Feller; English Baroque Soloists, Dirigent: John Eliot Gardiner (1992) Deutsche Grammophon / Universal

Derzeit der Maßstab: die Einspielung mit dem Concerto Köln unter der Leitung von René Jacobs. Fiordiligi: Véronique Gens, Dorabella: Bernarda Fink, Ferrando: Werner Güra, Guilelmo: Marcel Boone, Despina: Graciella Oddone, Alfonso: Pietro Spagnoli (1998) Harmonia Mundi France

Die Oper als Film

Neben einer Reihe von Videomitschnitten, die ein mehr oder minder getreues Abbild der zugrundeliegenden Aufführungen anstreben, sind zwei spezifisch für das Medium Film bzw. Fernsehen adaptierte Produktionen von *Così fan tutte* erschienen: die von Jean-Pierre Ponnelle und Peter Sellars. Es sind genuine Opernfilme, die im Studio oder zu Studiobedingungen aufgezeichnet wurden. Beide Interpretationen basieren gleichwohl auf »richtigen« Inszenierungen und sind das Werk von Regisseuren, die dafür bekannt sind, jedes Detail mitzugestalten.

Jean-Pierre Ponnelle hatte bereits mit Anfang 20 das Bühnenbild zu einer Inszenierung von *Così fan tutte* gestaltet und seither das Stück ein Halbdutzend Mal selbst inszeniert. »Inszenieren« bedeutete bei ihm, jeden Aspekt der Aufführung zu verantworten, von Szenografie über Kostüme und Licht bis zur Personenregie. Jede Orchesterstimme war ihm wichtig, jedes Klangfarbendetail bestimmte die Personenführung mit. Sein Plan, sämtliche Mozart-Opern zu verfilmen, blieb Fragment, und *Così fan tutte* sein letzter Film. Nur wenige Wochen nach Abschluss der Dreharbeiten starb Ponnelle, mit gerade 56 Jahren. Der *Così*-Film ist die Quintessenz seiner Beschäftigung mit dem Werk. Mit behutsamem Einsatz filmischer Elemente überträgt er seine Personenführung in das andere Medium; viele Szenen könnten ganz ähnlich auch auf einer Bühne realisiert werden (und wurden es auch). Helle Farben dominieren; Ponnelle war überzeugt: »Je farbloser das Bühnenbild ist, desto präsenter werden die Akteure.« Ponnelles Sicht stellt den Intriganten Alfonso ins Zentrum. Er weist immer wieder auf die Flasche hin, unter der der Wetteinsatz liegt, um die Männer zur Ordnung zu rufen, und lenkt die Verführung von Anfang an über Kreuz. Die Frauen gehen instinktiv darauf ein: Während Ferrando seinen Liebeshymnus singt, schließt Dorabella gähnend ihr Fenster, Fiordiligi aber öffnet das ihre und ist wie gebannt von dem, was sie da hört. Im 2. Akt durchschaut Dorabella das Wechselspiel. Als sie Guilelmo küssen will, wird ihr mit einem Schlag die Ähnlichkeit klar, worauf sie sich, nunmehr bewusst, wen sie vor sich hat, ihrer neuen Verliebtheit hingibt. In seiner Arie *Donne mie* zieht Guilelmo einen Theatervorhang zu und singt davor, während der Rest des Bühnenbildes verdeckt bleibt. Durch einige geschickte Striche macht Ponnelle den immanenten Widerspruch bei der Hochzeitsüberleitung weniger eklatant: Alfonsos Vorschlag zu heiraten könnte sich so auch auf die neuen Frauen beziehen, und das Rezitativ, in dem Despina die Hochzeit anbietet, ist ganz weggelassen, so dass alles auf Alfonso zurückzugehen scheint. Ein Jahr vor dem Film konstatierte Ponnelle in einem Interview mit dem Bayerischen Rundfunk: »Ich kenne in der ganzen Weltliteratur, außer vielleicht bei Laclos' *Gefährlichen Liebschaften*, keine zynischere, bösartigere Fabel als *Così* (…) je tiefer man in dieses Werk eindringt, um so mehr sieht man, wie wahrhaft menschlich – und das meine ich nicht positiv – Mozart ist. Am liebsten würde ich *Così* jetzt (…) auf einer nackten Bühne mit nackten Menschen inszenieren.«

Peter Sellars hat das Geschehen in der Filmversion seiner zuvor auf verschiedenen Festivals gezeigten Inszenierung in einen für die damalige Zeit modernen, »Despina's« genannten *Diner* der späten 1970er Jahre verlegt. Despina leitet es zusammen mit Alfonso, den der Regisseur als kriegsgeschädigten Vietnam-Veteranen zeigt – seine Neigung zu psychologisch gefährlichen Menschenexperimenten ist offenbar Folge von traumatischen Erfahrungen. Der Heiratssehnsucht der Frauen verleiht er eine neue Motivierung: Seine vier Probanden sind keine blutjungen Liebespaare, sondern Erwachsene, die offenbar schon (zu) lange verlobt sind. Die Liebe Fiordiligis und Dorabellas ist dadurch von Anfang an in eine Schräglage geraten: Die jahrelange Fixierung auf ihre zukünftigen Ehemänner lässt ihnen keinen Raum, diese Verlobung wieder zu lösen, andererseits teilt sich die freudige Erwartung inzwischen mit einer gereizten Ungeduld. Das macht sie umso empfänglicher für die ihnen aufgezwungene neue Wahlmöglichkeit. Dass sie die sogleich als Fake erkennen, ändert nichts am emotionalen Aufruhr, der dadurch in Gang gesetzt wird. Ein anderer eindrücklicher Aspekt ist die Gleichzeitigkeit von Triumph und Verlust. Guilelmo quält sich wie sonst in keiner Inszenierung, wenn er Ferrando den Betrug Dorabellas zu offenbaren hat, ohne jede Spur von überheblicher Schadenfreude. Auch Dorabella kann nur unter Tränen ihrer Schwester ihre neugewonnene Frivolität nahebringen – denn diese Haltung ist keine, die sie angestrebt hat, sie muss sie aber behaupten, um sich nicht selbst das Ausmaß ihres Unglück einzugestehen. Das naturalistische Setting wird immer wieder durch surreal choreografierte Szenen kontrastiert.

Jean-Pierre Ponnelle

Fiordiligi: Edita Gruberova, Dorabella: Delores Ziegler, Ferrando: Luis Lima, Guilelmo: Ferruccio Furlanetto, Despina: Teresa Stratas, Alfonso: Paolo Montarsolo; Wiener Philharmoniker, Dirigent: Nikolaus Harnoncourt (1988) DGG / Universal 2 DVD

Peter Sellars

Fiordiligi: Susan Larson, Dorabella: Janice Felty, Ferrando: Frank Kelley, Guilelmo: James Maddalena, Despina: Sue Ellen Kuzma, Alfonso: Sanford Sylvan; Wiener Symphoniker, Dirigent: Craig Smith (1980) Decca / Universal 2 DVD

Widerhall in den anderen Künsten

Literarische Anverwandlungen

Die mit Abstand gewichtigste literarische Adaption ist auch eine der frühesten: Johann Wolfgang von Goethes Roman *Die Wahlverwandtschaften,* 1809 erschienen, in dem Eduards und Charlottes Ehe durch zwei Hausgäste – seinen Jugendfreund, den Hauptmann Otto, und ihre mittellose Nichte Ottilie – in Gefahr gebracht wird. Der Roman ist ein Gleichnis für ein naturwissenschaftliches Phänomen: Wenn zwei chemische Verbindungen aufeinandertreffen, können sich bei einer genügend großen Affinität die ursprünglich miteinander verknüpften Elemente lösen und sich mit den dadurch freigewordenen Elementen der anderen Verbindung vereinigen. Goethe war so fasziniert von dieser Beobachtung der damaligen Wissenschaft, dass er die *Wahlverwandtschaften* – als Ausnahme in seinem novellistischen Schaffen – »nach Darstellung einer durchgreifenden Idee« konzipierte. Damit steht der Roman in einem direkten Bezug zu Alfonsos Theorien, die mechanistische Vorgänge in der menschlichen Psyche postulieren. Auch der formale Aufbau rückt den Roman mit seiner Fülle von Symbolen und Querverweisen in die Nähe der Oper, und seine Wirkung war skandalös. Genauso wie Da Pontes Opernlibretto, das als ein Experiment mit den Traditionen und Möglichkeiten des Musiktheaters verstanden werden kann, waren Goethes *Wahlverwandtschaften* auch ein Versuch über die Konstruktion eines zeitgenössischen Romans; beide wurden von ihren Zeitgenossen mit einer gewissen Ratlosigkeit, ja mit Ablehnung aufgenommen. Trotz der unübersehbaren Bezüge gibt es auch trennende Eigenschaften: Der Roman hat keinen Spielführer à la Alfonso (und keine Assistentin wie Despina), und die Handlung beginnt nicht als bewusstes, mutwilliges Experiment, sondern nimmt ihren Lauf, der zugrundeliegenden Idee getreu, in stetig wachsender Anziehung zwischen den Figuren.

Die viele Blüten treibende Mozart-Belletristik hat überwiegend einen Bogen um *Così fan tutte* gemacht, aber auch hier gibt es Ausnahmen. Johann Peter Lyser, einer von Robert Schumanns »Davidsbündlern« und Mitarbeiter seiner *Neuen Zeitschrift für Musik,* hat mehrere Erzählungen rund um *Così fan tutte* geschrieben. Sie sind im *Mozart-Album* zum 100. Geburtstag des Komponisten 1856 erschienen. Lyser versucht, mit Anekdoten über die Stoffwahl und den besonderen Reiz der Orchestrierung Verständnis für die damals vernachlässigte Oper zu wecken. Andere Autoren bemühen sich mit wechselndem Erfolg, die Handlung auf tatsächliche Begebenheiten zurückzuführen. Rudolf Hans Bartsch, der Schöpfer des einst populären Schubert-Romans *Schwammerl* (der Vorlage zur später verfilmten Operette *Das Dreimäderlhaus* von Heinrich Berté) greift in seiner Novelle *Così fan tutte. Mozarts Faschingsoper* (Leipzig 1922) das Gerücht auf, es habe sich beim Stoff um eine wahre Begebenheit österreichischer Offiziere gehandelt, und schmückt dabei historisch belegte Umstände (wie zum Beispiel Gespräche zwischen Kaiser Joseph und seiner Schwester Marie Christine) mit Erfundenem aus, indem etwa die Affäre der Soldaten von Strippenziehern eingefädelt wird.

Erst in der Literatur des späteren 20. Jahrhunderts gibt es wieder substanzielle Auseinandersetzungen mit *Così fan tutte*; drei Beispiele seien genannt. John Irvings Roman *Eine Mittelgewichts-Ehe* (im amerikanischen Original: *The 158-Pound-Marriage*) von 1974 ist der direkte Vorgänger seines internationalen Durchbruchs mit *Garp und wie er die Welt sah.* Zwei Ehepaare in einer nordamerikanischen Universitätsstadt, der namenlose Erzähler und die gebürtige Österreicherin Utsch sowie die aus wohlhabender Familie stammende Edith und der in Wien geborene Severin Winter lernen einander kennen. Während der Erzähler – Geschichtsdozent und Autor historischer Romane – zum Mentor von Edith wird, die literarische Ambitionen hat, entwickelt sich auch eine sexuelle Anziehung zwischen den Paaren, der die vier mit einem zunächst dosierten Partnertausch nachgeben. Doch das Verhältnis gerät aus der Balance. Der Erzähler und seine Frau verlieben sich ernstlich in ihre Affärenpartner, für Severin und Edith erfüllt das Abenteuer einen anderen Zweck: Severin hatte zuvor seine Frau betrogen. Nun hat er die Überkreuzaffäre eingefädelt, um seiner Frau die Möglichkeit zu geben, sich an ihm zu rächen. So soll, nach seinem Plan, ihre Ehe wieder ins moralische Gleichgewicht gerückt werden. Irving operiert mit einer Reihe von Anspielungen, die eine Beziehung zu *Così fan tutte* verstärken: Die Töchter von Edith und Severin heißen Fiordiligi und Dorabella – Severin ist ja auch derjenige, der den Partnertausch herbeiführt, sich also des Opernplots bewusst ist. Nur scheinbar geriert er sich im Verlauf des Romans als ein Spielverderber, als ein Guilelmo, der im Kanon des zweiten Finales aus der allgemeinen Harmonie ausschert. Er ist eher eine eigenwillige Kombination aus Guilelmo und Alfonso.

Eine Kurzgeschichte des englischen Dramatikers Alan Bennett trägt – allerdings nur in ihrer deutschen Übersetzung – sogar den Titel *Così fan tutte* (anstelle des kaum übersetzbaren Originaltitels *The Clothes They Stood Up In*). Die Handlung ist mehrfach verwoben mit Mozarts Oper, weit über die sorgfältig eingeschalteten Stellen hinaus, an denen Musik aus der Oper zitiert wird. Eine scheinbar wohlgeordnete Beziehung (hier nur an der Zeitachse gespiegelt, nämlich eher am Ende als am Anfang des Lebens: statt zweier junger Paare vor der Hochzeit, die von der Liebe noch nicht viel wissen, ein älteres Ehepaar mit längst zur Routine erstarrten Ritualen) wird durch einen radikalen Eingriff von außen aus der Bahn geworfen. Die als verlässlich angenommenen Umstände werden ausgehebelt, und eine Rückkehr ins alte Geleise bleibt auch nachdem der vorhergehende Zustand scheinbar wiederhergestellt ist unmöglich. Für diese psychologische Versuchsanordnung dient Bennett ein bizarrer Kriminalfall als Ausgangspunkt. Während Mr. und Mrs. Ransome, seit über dreißig Jahren verheiratet, im Opernhaus *Così fan tutte* hören, wird in ihre Wohnung eingebrochen. Die Diebe stehlen nicht nur Mr. Ransomes teure Stereoanlage und Mrs. Ransomes Pelzmantel – sie stehlen alles. Als die Ransomes spätabends heimkehren, ist die Wohnung leer. Der Schock hat eine für beide belebende Wirkung, durch die erzwungene *tabula rasa* entdecken beide bisher verschüttete Facetten ihrer Persönlichkeit. Nach drei Monaten kommt die nächste Überraschung: Jemand hat die Wohnung in einer Lagerhalle exakt wiederaufbauen lassen und den jungen Angestellten der Firma aufgefordert, mit seiner Partnerin darin zu leben. Nachdem ihre Habseligkeiten wieder heimgeführt sind, bleiben doch seltsam störende Elemente der einrichtungslosen Zeit zurück. Zwei Ereignisse prägen den Schluss: Mrs. Ransome entdeckt, dass der Anschlag gar nicht ihnen gegolten hatte, sondern ihrem reichen, exzentrischen Nachbarn Mr. Hanson. Das aber verschweigt sie ihrem Mann, den wenig später ein Schlaganfall ereilt. Die letzten Töne, die Mrs. Ransome ihren Mann im Krankenhaus hören lässt, sind aus *Così fan tutte*, doch sie ergeben für seinen verstörten Geist keinen Sinn mehr.

Die unmittelbarste Adaption stammt von der österreichischen Dramatikerin Elfriede Jelinek. Ihr Theaterstück *Raststätte oder Sie machens alle. Eine Komödie* ist Jelinek-typisch ein sprachlich virtuoses Spiel verdrehter und verknüpfter Redewendungen - und natürlich eine mit sexuellen Begriffen und Vorgängen durchsetzte Provokation. Zwei Ehepaare - Isolde und Kurt, Claudia und Herbert - machen auf dem Weg in den gemeinsamen Urlaub Station an einer heruntergekommenen Autobahnraststätte, die sich als Tummelplatz von Swingern und Kriminellen erweist. Dort haben sich die Frauen zu einem Blind Date auf der Damentoilette verabredet. Ihre unbekannten Liebhaber sollen in einem Bären- bzw. Elchkostüm auf sie warten. Die Männer, die sich einen Seitensprung ihrer Gattinnen nie hätten vorstellen können, kommen mit den bereits verkleideten Rendezvous-Partnern ins Gespräch und bemächtigen sich ihrer Kostüme, ein halb bewusster, halb uneingestandener Partnertausch unter ungewöhnlichen Bedingungen ist die Folge. Die verschiedenen Tiere und eine Horde von Swingern machen die Raststätte zu einer bizarren Transformation von *Così fan tutte* in die Sphäre reifer, wohlhabender, gesättigter und phrasenverformter Bourgeois, die vom Kellner - dem Zerrbild eines Alfonso-Enkels - immer wieder angestachelt werden.

Vom Schauspiel zum Film

Zwei Paare miteinander kollidieren zu lassen, ist natürlich auch im Film eine beliebte Konstellation. Durch eine besondere Nähe zu *Così fan tutte* zeichnen sich dabei Patrick Marbers Schauspiel *Hautnah* (englischer Originaltitel: *Closer*) und der auf ihm basierende gleichnamige Film aus. Marbers Theaterstück wurde 1997 in London uraufgeführt und ist seitdem ständig auf den Schauspielbühnen präsent. (Die deutsche Erstaufführung inszenierte übrigens Christof Loy 1998 an den Münchner Kammerspielen.) Das Vierpersonenstück - auch der Film braucht kaum weitere Darsteller - zeichnet die Beziehungen, Manipulationen und Affären von Larry (Arzt), Dan (Schriftsteller), Anna (Fotografin) und Alice (Stripperin) nach. Die Liebe auf den ersten Blick, die Dan mit Alice verbindet, die Intrige, mit der Larry und Anna verknüpft werden, die Betrugsversuche und Manipulationen wachsen den

Figuren nach und nach über den Kopf. Die vier verstricken sich in einem Geflecht, bei dem immer mehr die Frage in den Vordergrund rückt, wer über wen triumphieren kann, als dass man nach dem idealen Partner suchte. Mike Nichols' Film leidet vielleicht etwas an der kalten Perfektion seiner polierten Oberfläche. Allerdings macht er den Bezug zu Mozarts Oper noch deutlicher, indem auch der Soundtrack Mozarts Musik zitiert.

Viele andere Filme spielen mit dem Thema Treue und Untreue, mit dem mehr oder weniger bewussten Überkreuztausch von Liebespaaren. Alle diese Filme auf *Così* zu beziehen oder gar zurückzuführen, würde den Bogen überspannen. *Nackt* (Buch und Regie: Doris Dörrie, 2002) ist allerdings einer jener Filme, auf die das zutrifft. Das Kammerspiel führt drei Paare – deren Anzahl die Personnage der Oper entspricht – in einer Lebenssituation zusammen, in denen alle sich vor Weggabelungen sehen, Entscheidungen über die gemeinsame Zukunft anstehen und konfliktreich zugespitzt werden. Der Höhepunkt des Films ist eine Szene, in der zwei der Paare sich nackt und mit verbundenen Augen nur durch ihren Tastsinn erkennen sollen, während das dritte Paar den Test überwacht – die Parallele zur Personenkonstellation von *Così fan tutte* ist unverkennbar und im Hinblick auf Dörries Debüt als Musiktheaterregisseurin mit ebenjener Oper im Jahr zuvor wohl auch kein Zufall.

Bildende Kunst

Anders als *Don Giovanni* mit seinem Don-Juan-Hintergrund – der u.a. Max Slevogt zu seinen wunderbaren Zeichnungen angeregt hat – haben die Maler bei *Così fan tutte* wenig Inspiration gefunden. Die Symmetrie der Figurenkonstellation, die äußerlich karge und wenig symbolkräftige Handlung bieten nicht viele Anknüpfungspunkte. Eine Vorahnung des Schwebezustands im Moment des Abschieds, die Vorstellung einer Reise als »Metapher für das Erlebnis der Liebe in existentiellem Sinn« (Edwin Mullins), findet sich in Antoine Watteaus drei Versionen von der *Einschiffung nach Kythera* von 1717 / 1718. Die Insel Kythera, zwischen der Südspitze der Peloponnes und Kreta gelegen, ist eine Kultstätte der antiken Liebesgöttin: Hier soll Aphrodite (bzw. Venus in der römischen Mythologie) aus dem Meerschaum geboren worden und an Land gestiegen sein. Sie gilt daher als eine Art Paradies, und ihr Name wird synonym für die Göttin selbst gebraucht – so haben es die Männer

in ihrer gespielten Umnachtung im Finale I auch schon getan, als sie Fiordiligi und Dorabella für Pallas und Kythera hielten. Die Musik, die beim Zusammentreffen der vier jungen Leute in der 4. Szene des 2. Aktes von einer Barke erklingt, evoziert die paradiesische Glückseligkeit, für die die Insel steht. Ihr Name wird auch als Synonym für Aphrodite gebraucht; Guilelmo benutzt ihn für seine Verlobte, zu deren Ehre er nach gewonnener Wette ein Festmahl geben will. (Dass Cythère in manchen Kreisen als Sinnbild für eine freie Gesellschaft ohne Zwänge verstanden wurde, als eine politische Utopie, und die Reise dorthin als »Aufbruch in eine neue Zeit«, schwingt als Subtext mit.)

Jean-Antoine Watteau, *Die Einschiffung nach Kythera*, um 1718.

Paul Klees besondere musikalische Vorliebe galt der Opera buffa. Seiner Lust an Satire und am Absurden kam sie besonders entgegen, und wie Mozart in komisch-tragischen Situationen mit folgenreichen Verwechslungen menschliche Schwächen entlarvt, hat Klee nachhaltig beeindruckt. *Così fan tutte* nimmt in dieser Gesellschaft einen herausgehobenen Platz ein: Diese Oper nannte der Künstler das »wunderbarste unter den Wunderwerken«. Zwischen 1922 und 1927 schuf Klee insgesamt fünf Fassungen seines Bildes *Die Sängerin L. als Fiordiligi*.

Die Situation hat er in einer Notiz zur Vorzeichnung präzisiert: »Fiordiligi sich wappnend«. Es zeigt sie in der Szene, da sie sich der Uniform Ferrandos bemächtigt, um mit ihrer Schwester den Verlobten in den Krieg zu folgen.

Nachbeben und Bearbeitungen im Musiktheater

Bei Igor Strawinskys Oper *The Rake's Progress* (Libretto: W. H. Auden und Chester W. Kallman) handelt es sich natürlich nicht um eine Bearbeitung von *Così fan tutte*, es finden sich auch keine auffälligen wörtlichen Zitate darin. Trotzdem war Mozarts Oper für Strawinsky ein stilistisches Idealbild, und sowohl der Text als auch die Musik weisen Anklänge auf. Da ist zum Beispiel die Orchesterbesetzung, die sich an Mozarts Vorbild bis hin zum Einsatz des Cembalos für die Begleitung rezitativischer Passagen anlehnt – die in einem Werk des 20. Jahrhunderts ja ohnehin schon ein Anachronismus sind und auf die Vergangenheit verweisen. Der mit einer naiven Auffassung der Liebe beginnende Handlungsbogen (Anne und Tom) – dort kontrapunktiert durch die Skepsis des Alten (Annes Vater) – spannt sich bis zum Einsturz aller Gewissheiten am Schluss. Mit einem Terzettino (Nachhall von *Soave sia il vento*) wird Toms Abschied besungen, und die Ratschläge, die ihm die Bordellwirtin Mother Goose in Liebesdingen gibt, sind genauso auf handfeste Nützlichkeit ausgerichtet wie diejenigen Despinas. Manche andere Anleihe ließe sich anführen.

Paul Klee, *Die Sängerin L. als Fiordiligi*. Aquarellierte Ölfarbenzeichnung, 1923.

Eine spezielle Fassung von *Così fan tutte* haben der Regisseur Robert Lehmeier und der Dirigent Jens-Karsten Stoll an der Neuköllner Oper in Berlin erstellt. 2003 wurde sie in einer musikalischen Bearbeitung von Winfried Radeke und einer neuen Übersetzung von Peter Lund aufgeführt. Der Plot der Originaloper klinge »verdächtig heutig«, war die Ausgangsbeobachtung, an die sich mehrere Fragen anschlossen: »Was wäre daraus geworden, hätten Sie mit der besten Freundin oder dem besten Freund vor zwanzig Jahren Sie wissen schon was anstatt die ganze Nacht durchdiskutiert? Wie steht es mit alle den Fiordiligis und Dorabellas in uns? Mit Herzens-, Geistes- und der Treue weiter unten? Oder anders formuliert: Wie viele Männer sind zu viele Männer?« Nicht weniger als zehn davon wurden für die Beantwortung benötigt: sechs Sänger und vier Pianisten, die gemeinsam alle Rollen und Noten bewältigen. In der Aufführung wird die Frage, wer denn am Schluss mit wem zusammenkommen soll, immer wieder neu gestellt und letztlich unbeantwortet abgebrochen.

Rund drei Jahre später wurden Handlung und Musik von *Così fan tutte* zur Plattform für ein aufwendiges Education-Projekt an der Komischen Oper Berlin: Mozart trifft Hip-Hop, genannt wurde die Fusion *Hip H'Opera – Così fan tutti.* Etwa gleich viele unveränderte Passagen aus der Oper und neukomponierte Raps und Beats wurden zu einer Mischung von Stilen, Kulturen, Altersgruppen. Mehrere Monate lang haben alle Beteiligten die Version gemeinsam erarbeitet. Drei junge Opernsänger, drei Rapper und eine »Youth Crew« genannte Truppe von 40 Jugendlichen haben gesungen und gespielt, unterstützt durch einen DJ und ein Schulorchester. Ein prägendes Erlebnis für die Mitwirkenden, ein sicherlich gemischtes Vergnügen fürs Publikum, in dem der *Battle* der Musikstile oft lauter aufgegriffen wurde als in einem Opernhaus üblich und den Mozart-Elementen der Kombination zuträglich.

Anhang

Glossar

Accompagnato: → Rezitativ

Alla breve: Taktart, in der die halben Noten die Zählzeit sind (und nicht die Viertel); führt tendenziell zu einem flüssigeren Tempo, weil die Musik in größeren Einheiten gedacht wird.

Arie: Ein formal geschlossenes Gesangsstück innerhalb der Opern-Großform. Das im Barock vorherrschende Modell in der ABA'-Form weicht zu Mozarts Zeit einer größeren Vielfalt auch komplexerer Formen.

Arioso: Kurze einteilige → Arie oder »arienhafter« Abschnitt innerhalb einer rezitativischen Passage.

Cavatina: Kürzeres Sologesangsstück, das nicht als vollwertige → Arie zählt.

Continuo: Gruppe von Musikern, meist mit Cembalo oder Hammerklavier und Violoncello, die die → Rezitative begleitet.

Da capo: Die beherrschende Form der → Arie im 18. Jahrhundert war dreiteilig: Auf den A-Teil folgte ein mehr oder weniger kontrastierender B-Teil, an dessen Ende vermerkt war: »Da capo«, wörtlich »vom Kopf«, also von vorne – was bedeutet, dass der A-Teil, vom Sänger nach eigenem Ermessen mit Verzierungen und Koloraturen ausgeschmückt (und deswegen A'-Teil genannt), zu wiederholen war.

Deus ex Machina: Kunstgriff der Opernlibrettistik, mit dem eine scheinbar ausweglose Handlung durch das Eingreifen einer höheren Macht zu einem glücklichen Ende gebracht wird, eben durch eine Gottheit, die wie aus einer Maschine oder Kiste unvermittelt auftaucht.

Ensemble: Eine Gruppe von Sängern, die an einem Theater engagiert ist; auch gebraucht für eine musikalische Nummer, die von mehreren Stimmen bestritten wird.

Finale: Italienisch »Schlussstück« – ein großes Handlungsensemble am Ende eines Aktes, oft von längerer Dauer als eine → Arie, im Wechsel von rezitativischen und ariosen Abschnitten, mit Zuspitzung der Handlung und musikalischer Steigerung.

Impresario: Organisator und Manager von Operncompagnien, oft selbst (ehemaliger) Sänger.

Instrumentalprobe: Von Mozart im Sinne von »Orchesterprobe« gebraucht: Nachdem die Sänger ihre Partien zur Klavierbegleitung einstudiert haben und das Orchester separat geprobt hat, kommen hier zum ersten Mal alle Musiker zusammen.

Koloratur: Wörtlich »Färbung«, die Verzierung einer Gesangslinie durch das Umspielen einer Silbe mit schnellen Noten, wodurch der Sänger seine Virtuosität darstellen und der Ausdruck verstärkt werden kann.

Lage: Kurz für Stimmlage, in der sich die Musik einer bestimmten Partie bewegt.

Logenbruder, Freimaurer: Mozart schloss sich 1784 den Freimaurern an. Die zeitweise verbotenen Geheimlogen waren den Idealen Freiheit, Gleichheit, Brüderlichkeit, Toleranz und Humanität verpflichtet. Nicht nur in der *Zauberflöte* haben diese Überzeugungen ihren Einfluss auf Mozarts Schaffen ausgeübt.

Mannheimer Schule: Eine lose Verbindung von Musikern der damals berühmten Mannheimer Hofkapelle, die bestimmte stilistische Eigenarten ausprägten, ohne je formal eine »Schule« zu bilden.

Metastasio: Pietro Metastasio, mit vielen Dutzenden vertonten Textbüchern der wichtigste Librettist des 18. Jahrhunderts (und im Grunde der gesamten Operngeschichte).

Metrum: Das auf dem »Grundpuls« im jeweiligen musikalischen Abschnitt basierende Betonungsmuster, eng verwandt mit der Taktart, dessen Einheiten das Metrum in betonte und unbetonte Schläge einteilt.

Motiv: Der kleinste thematische Bestandteil in der klassischen Musik, eine melodisch, rhythmisch und harmonisch charakteristische Tonfolge aus zwei oder mehr Tönen, die einen Satz oder eine Nummer prägt.

Opera buffa: Eine Operngattung des 18. Jahrhunderts mit komischen Stoffen und oft handlungsnahen Arien.

Opera seria: Eine Operngattung des 18. Jahrhunderts mit ernsten, tragischen Stoffen; deutliche Trennung von Emotion reflektierenden Arien in ABA'-Form und dialogischen Rezitativen.

Pasticcio: Wörtlich »Pastetchen«, ein aus Musikstücken verschiedener anderer Opern mit teilweise neuem Text zusammengestelltes Werk.

Primadonna: Die »erste Dame«, weibliche Hauptpartie in einer Oper, fast immer Sopran, meistens eine ernste Rolle; das männliche Gegenstück war der »primo uomo«, beide bildeten das »erste Paar«. Das »zweite Paar«, oft eher komisch angelegt und aus etwas tieferen Stimmen zusammengestellt, stand auch im gesellschaftlichen Rang der Figuren niedriger.

Reprise: Die Wiederholung oder Wiederaufnahme des Anfangsthemas.

Rezitativ: Eine Art Sprechgesang, in dem bis in die Oper des frühen 19. Jahrhunderts die Handlung vorangetrieben wurde; entweder nur vom Continuo (*Recitativo secco*, wörtlich: trocken) oder vom ganzen Orchester *(Recitativo accompagnato)* begleitet.

Rondò: Arienform meist heroischen Inhalts, mit dem instrumentalen »Rondo« nur entfernt verwandt; oft zweiteilig (langsam – schnell) und mit Beteiligung von konzertierenden Soloinstrumenten.

Scrittura: Kompositionsauftrag.

Singspiel: Musiktheatralische Gattung, in der – ursprünglich oft liedhafte – Gesangsnummern mit gesprochenem Dialogtext abwechseln.

Sotto voce: Mit halber Stimme.

Stretta: Beschleunigter Schlussteil einer Komposition.

Synkope: Betonungsverschiebung auf den schwachen Taktteil durch eine Note mit verlängerter Tondauer.

Thema: Wichtigste Sinneinheit in der klassischen Musik, aus einem oder mehreren → Motiven zusammengesetzt, das in der Folge eines musikalischen Satzes fortgesponnen, mit anderen Themen kontrastiert oder zusammengeführt wird.

Wechselnote: Der im wiederholten Wechsel mit der Ausgangsnote erklingende, direkt benachbarte Ton.

Zitierte und empfohlene Literatur

Quellen

Mozart, Wolfgang Amadeus: *Così fan tutte ossia La scuola degli amanti* K. 588. Facsimile of the Autograph Score, Los Altos 2007

– Klavierauszug der Neuen Mozart Ausgabe, Kassel 1993

Da Ponte, Lorenzo: *Così fan tutte o sia La scuola degli amanti*, Libretto, Wien 1790

Mozart allgemein

Armbruster, Richard: Das Opernzitat bei Mozart, Kassel etc. 2001

Becker, Max (Hrsg.): Mozart. Sein Leben und seine Zeit in Texten und Bildern, Frankfurt a. M./Leipzig 1991

Borchmeyer, Dieter/Gruber, Gernot (Hrsg.): Mozart-Handbuch, Bd. 3: Mozarts Opern, Laaber 2007

Braunbehrens, Volkmar: Mozart in Wien, München 1986

Da Ponte, Lorenzo: Memoiren des Mozart-Librettisten, galanten Liebhabers und Abenteurers, hrsg. von Günter Albrecht, Berlin 1970

Deutsch, Otto Erich: Mozart und seine Welt in zeitgenössischen Bildern, begr. von Maximilian Zenger, Kassel etc. 1961

Knepler, Georg: Wolfgang Amadé Mozart. Annäherungen, Berlin 1991

Kunze, Stefan: Mozarts Opern, Stuttgart 1984

Leopold, Silke (Hrsg.) unter Mitarbeit von Jutta Schmoll-Barthel und Sara Jeffe: Mozart Handbuch, Kassel/Stuttgart und Weimar 2005

Lert, Ernst: Mozart auf dem Theater, Berlin 1918

Schmid, Manfred Hermann: Mozarts Opern. Ein musikalischer Werkführer, München 2009

Starobinski, Jean: Die Zauberinnen, München 2007

Suard, Jean-Baptiste-Antoine: Anecdotes sur Mozart, in: ders.: Mélange de littérature, Bd. 2, Paris 1804

Tschitscherin, Georgi W.: Mozart. Eine Studie, hrsg. und übersetzt von Christof Rüger, Leipzig 1975
Unseld, Melanie: Mozarts Frauen. Begegnungen in Musik und Liebe, Reinbek bei Hamburg 2005
Willaschek, Wolfgang: Mozart-Theater. Von »Idomeneo« bis zur »Zauberflöte«, Stuttgart / Weimar 1996
Zaubertöne. Mozart in Wien 1781–1791, Katalog Wien 1990

Zu »Così fan tutte«

Così fan tutte. Beiträge zur Wirkungsgeschichte von Mozarts Oper, hrsg. vom Forschungsinstitut für Musiktheater der Universität Bayreuth (Redaktion: Susanne Vill), Bayreuth 1978
Brown, Bruce Alan / Rice, John A.: Salieri's *Così fan tutte*, in: Cambridge Opera Journal 8, 1 (1996), S. 17–43
Gardiner, John Eliot: »Così« und die Kräfte der Natur, in: Booklet CD *Così fan tutte*, Deutsche Grammophon 437 829-2 (1993)
Harnoncourt, Nikolaus: *Così fan tutte:* Die Demaskierung der Gefühle durch Mozarts Musik, in: ders.: Mozart-Dialoge. Gedanken zur Gegenwart der Musik, hrsg. von Johanna Fürstauer, St. Pölten / Salzburg 2005
Jones, Julia: Die Ouvertüre, in: Programmheft »Così fan tutte«, Oper Frankfurt 2008
Kramer, Kurt: Da Ponte's »Così fan tutte«, Göttingen 1973
Lewin, Michael: Harry Kupfer. Mit einer Einleitung von Hans Mayer, Wien / Zürich 1988
Lyser, Johann Peter: »Così fan tutte«, in: Mozart-Album, hg. von Johann Friedrich Kayser, Hamburg 1856
Mueller, Volker: W. A. Mozart / Lorenzo da Ponte: Così fan tutte ossia La scuola degli amanti. Dramma giocoso in due atti, KV 588. Kommentiertes Libretto, http://www.cosi-fan-tutte.de
Natošević, Constanze: »Così fan tutte«. Mozart, die Liebe und die Revolution von 1789, Kassel etc. 2003
Polzonetti, Pierpaolo: Mesmerizing adultery: *Così fan tutte* and the Kornman scandal, in: Cambridge Opera Journal 14 (2002), H. 3, S. 263–296
Stackelberg, Jürgen von: Die Treueprobe, in: ders.: Senecas Tod und andere Rezeptionsfolgen in den romanischen Literaturen der frühen Neuzeit, Tübingen 1992
Steptoe, Andrew: Mozart, Mesmer and ›Cosi fan tutte‹, in: Music & Letters 67 (1986), H. 3, S. 248–255
Steptoe, Andrew: The Mozart-Da Ponte Operas. The Cultural and Musical Background …, Oxford 1988 [hier auch die Vorlage für die Figurenkonstellation]
Wienold, Hanns / Hüppe, Eberhard: *Così fan tutte* oder die hohe Kunst der Konvention, in: Metzger, Heinz-Klaus / Riehn, Rainer (Hrsg.): Mozart. Die Da Ponte-Opern, Musik-Konzepte Sonderband, München 1991
Woodfield, Ian: Mozart's »Così fan tutte«. A Compositional History, Woodbridge 2008

Weitere Literatur

Bennett, Alan: Così fan tutte. Eine Geschichte. Aus dem Englischen von Brigitte Heinrich, Berlin 2003 (englischer Originaltitel: The Clothes They Stood Up In, London 1996, deutschsprachige Erstveröffentlichung als Alle Jahre wieder. Eine kleine Geschichte, Frankfurt a. M. 1999)

Gier, Albert: Das Libretto. Theorie und Geschichte einer musikoliterarischen Gattung, Darmstadt 1998

Hanak, Werner (Hrsg.): Lorenzo Da Ponte. Aufbruch in die Neue Welt, Ostfildern 2006 (= Da-Ponte-Katalog)

Herz, Joachim: Oper mit Herz. Das Musiktheater des Joachim Herz, Bd. 1, hrsg. von Michael Heinemann und Kristel Pappel, Köln 2010

Irving, John: Eine Mittelgewichts-Ehe, Zürich 1988

Jelinek, Elfriede: Raststätte oder sie machens alle, in: dieselb.: Stecken, Stab und Stangl, Reinbek bei Hamburg 1997

Kranz, Dieter: Der Regisseur Harry Kupfer. »Ich muss Oper machen«, Berlin 1988

Payer von Thurn, Rudolf: Joseph II. als Theaterdirektor. Ungedruckte Briefe und Aktenstücke aus den Kinderjahren des Burgtheaters, Wien / Leipzig 1920

Bildnachweis

Bildarchiv Seemann Henschel Verlage: 10, 13, 18, 24, 26, 28, 32, 33, 65, 66, 92, 129, 130

bpk / Musikabteilung mit Mendelssohn-Archiv, Staatsbibliothek zu Berlin – Preußischer Kulturbesitz: 46, 85

Deutsches Theatermuseum München: 101

EMI Records Ltd. / Virgin Classics: 110

harmonia mundi CD – HMC 901663.65: 121

Matthias Heyde: 69 u.

Matthias Horn: 68 u.

Arwid Lagenpusch: 107

picture alliance / Josep ROS Ribas: 70 o.

picture alliance / akg-images: 67 u.

picture alliance / Thomas Ramstorfer / First Look / picturedesk.com: 68 o.

Javier del Real: 72

Monika Rittershaus: 9, 69 o., 70 u., 71 o.

Suzanne Schwiertz: 71 u.

Unitel: 67 o., 115